KB077147

별스러운 이야기

별스러운 이야기

곽영도

케마

아이린

김나연

우소현

김나리

들어가며

어른이 되어 어릴 때 다닌 초등학교에 가본 적 있나요?

커다란 운동장은 왜 그렇게 작아졌을까요. 내가 타던 그네가, 땀 뻘뻘 흘리며 누비던 정글짐이, 그리고 친구와 몸무게 자랑을 하면서 타던 시소가 또 어찌 그리 작고 앙증맞아졌는지요.

동화를 쓰면서 한때 나도 아이였다는 것을 잊어버리고 살아왔음을 인정하게 됩니다. 그러면서 큰 몸에 어울리던 내 안의 구조물 크기를 작게 조정합니다. 어린 시절의 크기로 되돌려 놓은 그 '작음'에 익숙해졌을 때 비로소 동화의 문이 열린다는 사실을 알게 되었습니다.

앙투안 드 생텍쥐페리가 어린 왕자와 얘기를 나누기 위해 몸을 숙여 눈높이를 맞춘 것처럼, 아이들 세상을 이해하기 위해 몸을 한껏 낮추어 세상을 바라보려고 했고, 아이들의 순수하고 여린 정서를 가슴에 담아보려고 그 시절로 애써 돌아가 보기도 했습니다. 그러다 보니 재잘거리는 아이들 얘기 소리가 들려왔습니다.

귀 기울여 들은 아이들 세상은 참 재미있었습니다. 그 세상의 여기저기를 작은 점들이 모여서 선으로 이어보는 일을 했습니다. 여러 개의 점들이 만들어 낸 선은 이어져서 드디어 하나의 반짝이는 별이 되었습니다. 손이 닿지 않는 저 높은 곳의 차가운 별이 아니라, 아이들의 고사리같은 손으로도 쭉 뻗기만 하면 만져지는 친근하고 따스한 별이요.

여기 우리가 빚어낸 별이 어떻게 반짝이는지, 어떤 울림으로 가슴에 와닿아 감동을 남기는지 궁금한 분들은 손을 뻗어보세요. 그리고 만져주세요.

- 공동저자 中 곽영도

차 례

와우! 춤은 요렇게

곽영도

곽영도

말을 하고 나면 속이 후련해진다. 글을 쓰고 나면 감정이 풀린다. 그러면, 춤을 추면? 이 모든 것이 한꺼번에 이루어진다. 〈와우! 춤은 요렇게〉는 바로 그런 동화다. 춤을 추듯 이 동화를 써 봤다. 초등학교 교사로서 보고 듣고 체험한 것이 한 편의 동화를 쓰는 데 많은 도움이 됐다.

이메일: kdho34@naver.com

'드르륵…'

교실 앞문이 활짝 열렸다. 소리 나는 쪽으로 내 눈이 자동으로 갔다. 아이들도 일제히 쳐다봤다. 하얀 실내화 신은 발이 보이는가 싶더니 가방을 맨 아이가 쑤욱 들어왔다. 김강민이다.

"강민이 왔구나."

담임은 표정 없이 제 자리로 가는 김강민 뒤에다 대고 한마디 했다. 자리에 앉은 김강민은 태연하게 교과서를 꺼냈다.

"강민아, 조금 일찍 오면 좋겠는데…."

담임 얘기는 귓등으로도 안 듣는다. 이젠 지겹다. 아무한테도 눈길조차 안 주고 제멋대로 하는 행동이 밉기만 했다.

'저 새낀 뭐가 저리도 당당할까. 고개 까딱이는 인사도 안 하는 건방진 놈.'

난 은근히 화가 치밀어 올랐다. 인사 잘 안 한다고 저번에 우리한테 뭐라던 담임은 김강민한텐 어쩜 저리도 관대할까. 생각할수록 짜증 났다. 이런 내 맘을 알아채기라도 한 듯 건너편에 있는 하찬우가 몰래 썩은 미소를 내게 보냈다.

'아, 눈 버렸네.'

하찬우는 나보다 더 불만이 많은 애다. 틈나는 대로 담임한테 말대꾸했다. 선생님은 왜 김강민 편만 드느냐고.

하찬우 쟤도 좀 웃기는 데가 있다. 1학기 때엔 찍소리도 못하더니 2학기 들어와선 완전히 딴 애가 됐다. 하기야 그때는 부회장이었으니 그럴 수밖에 없었는지 모르지. 어쨌든 임원을 그만두면서부터는 반항기가 심해지고 눈빛도 달라진 게 분명했다.

새 학년을 맞이하여 담임과 우리가 처음 만난 3월, 그때도 김강민이 아직 등교하지 않은 1교시 때였다. 담임은 김강민에 대한 얘기를 꺼냈다.

"강민이가 없는 자리에서 말해야 할 것 같아 잠시 너희한테 얘기할게. 강민이는 요즘 치료를 받으러 다닌단다. 가족과는 말을 하는데 다른 사람들한테는 입을 꾹 다물고 아무 말도 안 하는 병이 있어서야. 작년엔 학교를 거의 안 나왔다고 하는구나. 이제 4학년이 됐으니 학교만큼은 잘 나올 수 있도록 우리 모두 배려를 해주면 어떨까 싶어."

"네 맞아요, 김강민은 작년에 학교를 거의 안 나왔어요."

작년에 같은 반이었던 애가 담임을 거들었다.

"그때도 말하는 소리를 한 번도 들어보지 못했어요."

또 다른 여자애도 말했다.

"그래. 그랬을 거야."

아이들 말에 맞장구를 친 선생님은 김강민이 앓고 있는 병을 뭐 '선택적 함묵증'이라고 하나, 하여간 그러면서 우리에게 '배려'를 강조했다.

"이런 강민이를 도와주면 어떨까 싶어. 해줄 수 있겠지?"

"네에~."

남자 선생 말이라서 그런지 애들은 그때 순한 양처럼 고분고분했다. 그런데 2학기가 된 요즘은 달라졌다. 양이 아니라 어떤 애는 여우로, 또 다른 애는 늑대로 변했다. 우스운 건 나는 이미 4월부터 여우였다는 거. 그때 김강민과 짝이 되면서 더 성깔이 나빠졌는지 모른다. 지금은 짝도 아닌데도 김강민이 꼴 보기 싫은 건 마찬가지다.

"야, 이상하지 않니?"

내 물음에 허세나가 화들짝 놀랐다.

"뭐가 이상하다는 거야, 소은아?"

"김강민 눈빛을 보면 참 재수 없어."

마스크 때문에 눈밖에 볼 수 없으니 그것으로 트집 잡아 말한 것이다. 이에 허세나는 한술 더 떴다.

"민소은, 너도 그렇게 느꼈구나. 그래, 입으로 하지 않는 말을 눈으로 하는 것 같아 섬찟해."

그렇게 나와 몇몇 애들은 김강민을 미워했다. 수업 시간 사이 10분의 쉬는 시간은 우리 세상이었다. 담임이 잠시 교실을 벗어나 있기 때문이다. 애들은 그 시간에 삼삼오오 모여서 김강민에 대한 불만을 얘기하곤 했다.

“선생님은 왜 그렇게 김강민을 감싸고도는지 모르겠어. 이거 편애 아니냐? 그렇지 애들아.”

책상 위에 삐딱하게 걸터앉은 하찬우가 불만을 쏟아냈다. 그러자 옆에서 요즘 유행하는 가수의 춤동작을 흉내 내던 허세나가 맞장구를 쳤다.

“그러게 말이야. 걘 뭐 특별히 선택받은 애야? 짜증 나 죽겠어.”

“내가 전에 짝을 했을 때 걔가 살짝 욕을 하는 소리를 들은 것 같아.”

짝을 해봤던 나는 없는 일까지 살을 붙여서 김강민의 나쁜 점을 부풀려 얘기했다.

“김강민이 말을 했다고? 정말?”

하찬우는 눈을 커다랗게 껌뻑이면서 놀라 말했다.

“그… 그래. 확실하지는 않지만 들은 것 같아.”

“야, 그렇다면 그 자식 완전히 내숭이네.”

하찬우는 어이없다는 듯이 말하며 교실 앞문 쪽에 서 있는 김강민을 노려봤다. 사실과 다른 말을 지어낸 듯해서 난 조금 양심에 찔렸다. 우리는 담임이 부탁했던 ‘배려’라는 말을 잊은 지 오래됐다.

또 다른 쉬는 시간 때 있던 일이다. 창가에서 허세나와 하찬우가 뭐라고 쑥덕거리는 모습이 눈에 띄었다. 무슨 작전을 짜는 게 분명했다. 하찬우와 얘기를 나눈 뒤 허세나는 자기 자리에서 뭔가를 급하게 했다. 그리고 내게로 다가왔다.

“소은아, 우리 김강민을 골려주기로 했는데 너도 함께 하자”

“뭔데?”

“저 문 옆에 서 있는 김강민 근처에서 하찬우가 나를 장난으로 밀 거야. 난 넘어지는 척하며 김강민을 밀쳐 넘어뜨릴 거고.”

“그럼 난 그걸 보고 깔깔 웃어주면 되는 건가?”

내 말에 허세나는 피식 웃고는 투명테이프가 붙어있는 작은 종이 쪼가리를 내 손에 쥐어 줬다. 그리고 말했다.

“아니, 넌 쓰러진 김강민을 일으켜주는 척하며 이 종이를 몰래 등짝에 붙이는 거야.”

받아 든 종이를 살펴보니 빨간 네임펜으로 다음과 같이 쓰여있었다.

- 난 말 못 하는 바~보! -

엮이는 게 왠지 께름칙했지만 세나가 뭘 하자고 하면 그렇게 해야 했다. 안 그러면 남자애들을 등에 업고 뒷담을 할 게 뻔하기 때문이다. 또 한편으로는 당황하는 김강민 모습이 재밌겠다는 생각도 들었다.

“그래, 알았어.”

내가 허락하자 허세나는 음흉한 웃음을 띠고는 하찬우 쪽을 보며 손가락으로 오케이 사인을 보냈다.

거사는 순식간에 이루어졌다. 하찬우가 허세나를 밀치고, 세나는 김강민에게 도미노처럼 넘어지면서 밀어 넘어뜨렸다. 김강민은 생각한 것보다 심하게 넘어졌다. 작전대로 난 잽싸게 다가가서 김강민을 일으켜주는 척하며 문제의 종이쪽지를 등 쪽에 붙였다. 김강민은 울먹거리면서 내 도움으로 주춤주춤 일어섰다. 그리고는 화난 모습으로 사기 자리가 있는 곳으로 거칠게 걸어갔다. 등 뒤에 붙어있는 종이쪽지가 나비 날개처럼 하늘거렸다. 이를 본 아이들이 마구 웃어댔다. 김강민은 자기가 넘어져서 애들이 웃는 것으로 알았을 거다.

소란스러운 가운데 누군가가 일러바쳤는지 담임 선생님이 급하게 교실로 들어섰다. 담임은 아이들을 조용히 시키고 무슨 일이 있었는지 물어봤다. 소란이 벌어지면 친절하게 설명하는 아이가 있게 마련이다. 회장이다. 일어난 상황을 들은 담임은 김강민에게 다가갔다. 등 뒤에 붙어있는 종이쪽지를 떼어 읽어보고는 얼굴이 일그러졌다. 그리고 강민이 모르게 담임 바지 호주머니에 빠르게 집어넣었다. 김강민이 알면 속상해할까 봐 그러는 게 분명했다.

이 일로 국어 시간 대부분은 도덕 시간이 되었다. 담임은 화날 때의 우리 아빠 같은 무서운 목소리로 애들의 무질서를 꾸짖었다. 그러면서 공부 잘하는 것보다 올바르게 사는 게 왜 더 중요한지도 얘기했다. 세 사람, 나와 허세나, 그리고 하찬우는 김강민을 괴롭힌 대가로 상담 대상자가 되었다. 말이 좋아 상담이지 따로 야단맞는 시간이다. 허세나와 하찬우는 오늘, 나는 내일 방과 후에 남아서 하기로 했다. 이상하다. 왜 세 명을 함께 상담하지 않고 나만 따로 하려는 걸까.

다음날, 상담 시간을 맞이한 나는 조금 긴장이 되었다. 선생님은 굳이 상담이 아니라 대화시간이라고 강조했다. 상담과 대화는 어떻게 다를까. 1학기 때엔 교실 앞 선생님 자리 쪽에서 상담하곤 했었다. 그런데 오늘은 선생님이 내 자리 쪽으로 와서 내 짝 의자를 끌어당겨 앉았다. 아무도 없는 교실 한가운데에서 '대화'라는 것을 하려니 부담 백배였다. 차라리 상담이 낫겠다는 생각이 들었다.

"부모님께는 오늘 늦는다고 말씀드렸지?"

"네"

담임 목소리는 부드러웠고 내 목소리는 굳어 있었다.

"어제 방과 후에 허세나와 하찬우 하고는 얘기를 나누었어. 다시는 그런 일을 안 하겠다고 약속했고. 하지만 두고 봐야 할 것 같구나."

담임은 얘기를 나누었다고 말하지만, 허세나와 하찬우에게 호되게 야단을 친 것으로 알고 있다. 걔들이 오늘 교실에서 비 맞은 강아지처럼 얌전했기 때문이다.

선생님은 잠시 일어나더니 미리 준비해 놓은 주스 팩에 빨대를 꽂아서 건네주며 마시라고 했다.

"오늘 소은이한테는 아까도 얘기했지만, 야단치기보다 대화를 좀 나누고 싶어서 따로 보자고 한 거야."

차분한 담임 음성에 난 긴장이 좀 누그러졌다. 어제 일로 혼날 줄 알았는데 그저 대화를 나누겠다고 하여 어리둥절하긴 했지만 다행이라고 생각했다. 하지만 왜? 상담이 아니고 대화라고 한 것인지 여전히 궁금했다. 담임은 종이컵에 담긴 물 한 모금을 마시고 난 뒤

책상 위에 놓으며 말했다.

“이 컵 안에 있는 물을 보렴. 그냥 놔두면 물은 잔잔하고 고요하지?”

“네”

“그러나 이렇게 흔들면?”

담임이 컵을 들어 흔들었다. 그 안에 있는 물이 출렁거리더니 일부분이 밖으로 튀었다. 무슨 얘기를 하려고 그러시는지 궁금했다.

“어제 너희들은 이렇게 물컵을 흔드는 행동을 한 거야.”

이렇게 말한 담임은 나를 지긋이 바라봤다. 난 눈을 내려 흘러넘친 물방울을 봤다.

“세상의 일로 말하면 고요하고 잔잔한 물은 곧 안정이고 평화로움이야. 그렇다면 흔들리고 넘쳐흐른 물은 뭐라고 해야 할까?”

담임은 대답을 해보라는 듯이 눈으로 재촉했다. 안정과 평화의 반대를 뜻하는 말이 무엇일까 잠시 생각하다가, 불안정과 싸움이나 전쟁을 떠올리고는 비슷하게 말씀드렸다.

“그래 맞았어. 흔들리고 세찬 물은 전쟁과 공포라고 할 수 있지. 소은이는 어떤 상태의 물이 더 좋다고 생각하니?”

“잔잔한 물이요.”

“그렇지. 나도 그래. 세상 사람 모두 그럴 거야. 그런데도 어떤 사람들은 컵을 흔드는 짓을 하려고 해. 왜 그럴까?”

담임 물음에 금방 대답을 못했다. 왜 그럴까…. 그러다가 내 경우를 생각하니 답이 떠올랐다.

"미움, 미워서 그러는 게 아닐까요?"

"미워서? 그래, 미움 때문이라는 말이 지금으로선 답일 것 같구나."

이렇게 말한 담임은 잠시 창문을 바라보며 생각에 잠기는 듯했다. 그리고 컵의 물을 한 모금 들이킨 뒤 담임의 어린 시절 얘기를 꺼냈다. 초등학교 3학년 땐가 4학년 때 옆에 앉은 짝을 까닭 없이 미워해서 괴롭혔던 경험을. 그 애가 속상해하여 눈물까지 흘렸던 모습이 떠오른다고 했다. 그 일이 어른이 된 지금까지 마음 한구석에 죄책감으로 남아 있다고도 했다.

"내 안에 괴물이 있었나 봐. 아주 못되게 행동하라고 부추기는 괴물이. 그 애를 만나면 지금이라도 사과하고 싶더구나."

담임의 '괴물'이라는 말에 난 가슴이 턱 막히는 느낌이 들었다. 괴물, 괴물…. 김강민을 괴롭히는 내 모습이 떠오른다. 난 고개를 내저었다. 괴물이 내 안에 있다는 것을 인정할 수 없었다. 담임은 계속해서 얘기했다. 우리 마음엔 착한 나와 나쁜 내가 있는데 이 중에서 나쁜 내가 바로 괴물이라고 말이다. 둘은 종종 다투곤 하는데 나쁜 내가 이기면 컵을 흔들게 되고, 착한 내가 이기면 컵이 흔들리지 않게 보호한다고 했다.

"그러면 내 안에 내가 둘이 있다는 건가요?"

"그렇다고 볼 수 있지. 착한 내가 진짜 나고, 나쁜 나는 가짜 나야. 괴물인 게지."

담임 선생님 얘기는 쉬운 것 같으면서도 어렵게 느껴졌다. 그저 내게 김강민을 어떻게 대해야 하는지 돌려서 말씀한다고 생각했다. 차라리 허세나와 하찬우에게 한 것처럼 깔끔하게 야단이나 치면 훌가분할 것 같았다. 하지만 괴물이라는 말은 흥미롭게 다가왔다.

"안에 있는 그 괴물을 없앨 수 있어요?"

"완전히 없애기는 힘들 거야. 그놈은 늘 우리랑 있을 거거든. 다만 더 크지 않게 하거나, 작게 할 수 있을 뿐이지."

"어떻게 작게 할 수 있어요?"

내 물음에 선생님은 잠깐 고민하는 듯하더니 말씀하셨다.

"알아차리면 돼."

"알아차린다고요?"

"응. 내 안에 괴물이 꿈틀대고 있구나, 괴물이 지금 커지려고 하는구나, 하고 알아차리면 돼."

선생님 말씀이 여전히 가물가물했다. 그런 내 고민을 눈치챈 듯, 선생님은 덧붙여 말씀하셨다.

"네가 누군가를 미워해서 막 나쁜 말을 하려고 할 때나, 어떤 애가 실수로 네 발을 밟아서 짜증이 나려고 할 때 바로 그 순간 네 마음속에서 일어나는 나쁜 감정, 그것을 알아채는 거지. 잠시 숨호흡을 한번 하면 알아채는 데 도움이 돼. 그러면 괴물은 비로소 작아지고 착한 내가 앞에 나서게 되어 뒤탈이 없어지게 되는 거야."

알아챈다, 알아차린다…. 그러고 보니 재미있는 일인 것 같다. 고개를 살짝 끄덕이는 내 모습을 보고 선생님은 또 다른 얘기를 해주셨다. 꿈 얘기다.

"소은아, 너 잠자면서 꿈 자주 꾸지?"

"네. 거의 날마다 꿔요."

"꿈을 꾸다가, 내가 지금 꿈을 꾸고 있는 거야, 하고 알아차린 적이 혹시 없니?"

"글쎄요, 잘 모르겠어요. 그런 생각 안 해봐서…."

"만약 꿈을 꾸다가, 혹시 '이건 꿈이야',라고 알아채면 계속 꿈을 꿀 수 있을까?"

"아니요. 깰 것 같아요."

"그렇지. 맞아. 꿈이라고 알아채는 순간 더 이상 꿈은 꿀 수 없어. 현실로 돌아오는 거지."

듣고 보니 그럴 것 같았다. 꿈인 것을 알아차리면 더 꿀 수 없는 건 당연하지 않나. 계속해서 선생님은 말씀하셨다. 꿈을 알아채는 것처럼 내 안에 있는 나쁜 내가, 괴물이 나서서 주인 행세를 하려고 하면 그것을 알아차리기만 하면 된다고 했다. 그리고 그 괴물이 커지지 않도록 먹이를 주지 말아야 한다고도 했다. 먹이? 먹이가 뭘까 궁금해할 때, 선생님은 그 먹이는 미움, 괴롭힘, 아픔, 폭력, 배신, 뭐 이런 거라고 했다. 괴물은 이런 것들을 먹고 덩치가 점점 커진다고 했다. 들으면서 서서히 뭔가를 알 것만 같았다. 희미하던 것이 또렷해지는 느낌이 들었다.

'강민이를 괴롭힌 것은 결국 내 안의 괴물이 한 짓이군요,'라고 말하려다가 그만뒀다. 우리의 대화는 선생님 컵의 물이 바닥이 날 때까지, 내 주스 팩이 텅 빌 때까지 계속됐다.

“소은아, 강민이를 네 안에 있는 착한 민소은의 눈으로 바라봤으면 좋겠구나.”

선생님이 마지막으로 하신 말씀이 집에 돌아가는 동안 머리에서 떠나지 않았다.

선생님과 대화를 나눈 날 저녁부터 내 몸에서 열이 살살 났다. 엄마가 준 해열제를 먹었으나 좀처럼 열이 떨어지질 않았다. 다음 날에도 열이 내려가지 않아서 엄마는 걱정을 하며 말했다.

“소은아, 너 열이 너무 높아서 안 되겠다. 학교에 결석한다고 선생님께 말씀드릴 테니 엄마랑 어서 병원에 가보자.”

엄마를 따라 병원에 가서 검사를 받았다. 의사가 독감이라고 했다. 할 수 없이 입원까지 해야 했다. 몸은 아팠으나 병실 침대에 누우니 세상 편했다. 학교를 안 간다는 게 이렇게 신날 줄이야. 손등에 맞은 링거주사를 신경 쓰다가 나도 모르게 잠 속으로 빠져들었다.

어두운 바닷속에서 미역인지 해초인지 모를 물체가 내 몸을 휘감는다. 둘둘 말려 조여 오는 고통 속에 숨이 차오른다. 그 순간 어렴풋이 ‘괴물’이라는 느낌이 든다. 어디선가 내 이름을 부르는 엄마 목소리가 들려온다. 동시에 꿈 반 현실 반이 뒤섞인다. ‘이건 꿈이야!’라는 느낌이 어렴풋이 다가온다. 그래 분명 꿈이야. 그 순간부터 내 몸을 휘감은 해초에게 난 저항하지 않았다. 꿈이라고 생각하니 그냥 내버려 둬도 된다고 여겼다. 오히려 더 즐기고 싶어졌다.

하지만 누군가 내 이름을 부르는 소리에 곧 현실로 돌아왔다.

"소은아."

눈을 떠보니 엄마가 걱정스러운 얼굴로 나를 불렀다.

"엄마…."

"내 딸 깼구나. 신음 소리를 심하게 내길래 걱정했어. 어때 머리는 좀."

엄마는 내 이마에 손을 대며 걱정했다.

"모르겠어. 괜찮은 것도 같고…."

말하면서 난 좀 전에 꾼 꿈을 생각했다.

'아, 이게 알아차린다는 거구나.'

엄마는 젖은 수건으로 내 얼굴을 닦아주고 미지근한 마실 물도 갖다 줬다. 몸을 일으켜 앉아서 천천히 물 잔을 기울여 마셨다. 물 잔을 살살 흔들어보았다. 물의 움직임을 보며 선생님과 나눈 대화 내용을 떠올렸다. 선생님이 말씀해 준 괴물 얘기를 생각하다가 머리를 흔들며 다시 누웠다. 아무 생각을 하지 않고 병실 천장을 바라봤다. 병실 천장의 알 수 없는 무늬가 눈에 들어왔다. 머릿속은 텅 빈 상자 같다. 침묵의 시간이다. 편안하고 행복한 느낌이 솜털 구름처럼 천천히 몰려왔다. 침묵하고 있는 강민이도 혹시 이런 느낌을 즐기는 것은 아닐까. 이틀 동안 병원에 있으면서 난 여행을 한 것 같았다. 짧지만 강렬한 마음의 여행을.

퇴원한 뒤 나는 생각과 마음의 키가 더 자란 느낌이 들었다. 어느 책에서 읽었는지, 아니면 누군가 한 얘기를 들었는지 모르지만 이런 말이 생각났다. 싸움에서 가장 무서운 적은 바깥에 있는 게 아니라 내 안에 있다고. 그 말을 이제는 알 것 같다. 내 안에 있는 괴물이 곧 적이다. 그동안 그 괴물이 진짜 나를 가로막고 나 인척 뻔뻔스럽게 굴었다. 내 안에서 오랫동안 못된 주인 행세를 해 왔던 거다. 이제 진정한 내가 주인 노릇을 하게 할 테다. 이런 생각을 하며 학교에 가는 내 발걸음은 힘차기만 했다.

며칠 결석한 뒤에 교실에 들어가니 마침 짝 바꾸는 날이라고 애들 마음이 들떠 있었다. 한 달에 한 번 오는 짝 바꾸기는 따지고 보면 별것 아닌 것 같은데 애들은 신나 했다. 사실 나도 그렇다. 이번엔 여자애들이 남자애를 고를 차례다.

뽑기 프로그램에 따라 정해진 순서대로 여자애들 열세 명이 일렬로 섰다. 난 네 번째다. 열네 명의 남자애들은 칠판 앞에 선택을 기다리며 서 있다. 앞 순서일수록 마음에 드는 짝을 고를 확률이 높았다. 네 번째라면 전부터 앉고 싶던 애를 내 짝으로 만들 수 있다. 첫 번째 여자애가 머뭇거림 없이 얌전하고 잘생긴 최효준이라는 애를 데리고 갔다. 이어서 두 번째가 진행되었다. 그렇게 진행되는 동안, 내 눈에는 칠판 옆 구석에 있는 애가 눈에 들어왔다. 고개 돌려 벽만 쳐다보는 김강민이다. 두 달 전처럼 누구의 선택도 못 받고 가장 마지막까지 홀로 남다가 쓸쓸하게 남은 자리에 앉았던 모습이 떠올랐다. 지금 강민이의 시간은 얼마나 길고 괴로울까. 이런 생각을 하고 있는데 마침내 내 순서가 왔다. 내 안의 괴물이 살짝 꿈틀댔다.

'내가 앉고 싶은 애를 골라야지.' 한다. 그것을 곧 알아차렸다. 내 발걸음은 어느덧 강민이에게로 가고 있었다. 강민이 옷소매를 잡아당겨 '네가 이번에 내 짝이다'라는 신호를 보냈다. 그리고는 내가 원하는 앞자리에 가서 앉았다. 강민이도 천천히 내 옆에 와서 앉았다. 그러자 애들이 '오~ 예!'하며 놀리는 듯한 괴성을 질렀다. 특히 하찬우와 허세나가 의외라는 듯, 놀란 표정으로 나를 쳐다봤다. 이미 해 봤던 짝을 또 고른 것도 그렇고, 누구의 관심도 못 받던 애를 내가 선택했기 때문이다. 애들의 놀림에 전 같으면 발끈했을 나였지만 이번만큼은 그저 담담했다. 선생님이 뒷짐을 진 채 그런 나를 흐뭇하게 웃으며 바라봤다.

한 달 뒤에 있을 학예회 준비로 우리 모두 몸과 마음이 바빴다. 우리 반이 발표할 작품은 춤이다. 지난번에 학급회의에서 정한 것이다. 그때 일을 떠올려 보면, 회의하기 전에 선생님은 강민이가 함께 할 수 있는 작품으로 정해 보라고 하셨다. 내 생각에도 강민이는 말을 안 하니까 노래나 악기 연주는 안 될 것 같았다. 그래서 내가 춤으로 하자고 의견을 냈었다. 허세나를 비롯해서 춤추기를 좋아하는 애들은 아이돌 가수들이 추는 춤을 떠올린 모양이었다. 따라서 내 의견이 좋다고 손뼉 치며 찬성했다. 하지만, 정해진 춤은 다른 종류였다. 체육수업 시간에 배웠던 포크댄스로 결정이 난 것이다. 학예회 발표 작품은 교육과정 안에 있는 것으로 해야 한다는 이유 때문이었다. 애들의 실망은 이만저만이 아니었다.

이 포크댄스로 말할 것 같으면, 여자는 안쪽에, 남자는 바깥쪽에 서로 마주 보고 원형으로 서서 손잡고 추는 춤이다. 손을 잡고 말이다. 연습을 하면서 애들은 창피하다고 진저리를 쳤다. 여자애들은 그러려니 하는데, 남자애들은 여자 손을 잡을 때, 마치 벌레라도 닿은 듯이 호들갑을 떨었다. 그러다 보니 처음엔 엉터리 동작이 많아서 연습이 잘 안 됐다. 선생님은 정성껏 하지 않고 대충 하는 애들을 지적하는 일이 많았다. 그런데도 뜻대로 진행되지 않자 당근 정책을 내놓았다.

"얘들아, 너희들이 이 포크댄스를 매끄럽게 잘하면 축구도 시켜주고 피구도 할 수 있게 해 줄게."

그러자 애들은 신기하게도 눈에 띄게 열심히 노력했다. 축구를 좋아하는 하찬우는 친구들에게 잘해야 한다고 윽박지르기도 했다. 하지만 문제가 좀 생겼다. 강민이가 스텝이 자꾸 꼬여서 전체 흐름을 방해하곤 한 것이다. 연습이 제대로 안 되니까 남자애들은 짜증을 부렸다. 하찬우는 노골적으로 선생님께 항의했다.

"선생님, 김강민이 자꾸만 틀려서 우리 모두 피해를 보고 있잖아요. 강민이 빼고 하면 안 돼요?"

"맞아요. 김강민 때문에 힘들어 죽겠어요. 이게 뭐예요."

허세나도 거들었다. 선생님께 따지듯이 말하는 태도가 예의라곤 찾아볼 수 없었다. 사실 강민이만 스텝이 꼬이는 게 아니었다. 따지고 보면 다른 애들도 잘한다고 볼 수 없었다. 심지어 춤 잘 춘다는 허세나도 동작이 꼬이는 것을 내 눈으로 똑똑히 봤다. 자기네들도 그러면서 강민이만 몰아붙인다.

"야, 왜 강민한테만 뭐라고 그래? 다른 애들도 잘못하는 거 같은데."

난 못마땅하여 한마디 했다.

"와~ 민소은, 너 또 김강민 편드니? 확실히 예전 같지 않아."

내 말에 허세나가 손을 턱에 대고 삐딱하게 서서 빈정거렸다. 난 그런 세나를 노려봤다. 내 안의 괴물이 꿈틀거리는 게 느껴졌다. 워, 워~. 난 곧바로 눈길을 거둬들이며 꾹 참았다. 괴물의 움직임을 알아차린 나 스스로를 칭찬했다.

"얘들아, 내가 말했잖니. 이번 학예 발표회엔 한 명이라도 빠져선 안 된다고. 아직 연습할 시간이 더 있으니 좀 더 노력해 보자."

선생님이 나서서 다독이셨다. 하찬우와 허세나 태도에 짜증을 낼 만도 한데 침착하게 받아넘기셨다. 선생님 안에 있는 괴물은 아예 힘을 못 쓰는 듯했다. 강민이는 참다못해 그만 울고 말았다. 말은 안 하지만 귀로는 다 듣고 있었다. 자기 때문에 상황이 나쁘게 흘러간다고 여긴 것이다.

'강민이는 지금 얼마나 힘들까. 저러다가 안 하겠다고 하면 큰일인데….'

일이 꼬여가는 것만 같아 난 조마조마했다. 착한 애들 몇 명이 다가가서 우는 강민이를 달래줬다. 나도 가서 그러고 싶었지만 아이들이 놀릴까 봐 참았다. 선생님은 고개를 들어 잠시 천정을 보더니 숨을 몰아 내쉬었다. 연습은 더 이상 하지 못했다. 몇 명의 애들은 정말 대책이 없다. 하찬우는 한때 뭐 영웅이나 된 것처럼 정의로운 흉내를 내는 것 같더니 강민이를 대하는 것을 보면 속 좁고 잔인하기까지 하다. 새 안에 있는 괴물은 아무래도 엄청나게 클 것이다.

다음날 강민이는 학교를 안 나왔다. 그리고 그다음 날도 결석했다. 몸이 아파서 그랬다는데, 내 생각엔 마음이 아파서 그런 거 같다. 학교 수업이 끝나고 집에 가는 길에 강민이에게 카톡 문자를 보냈다.

-강민아, 많이 아파?

응답이 없다.

-걱정이 돼서 그래. 네가 학교를 안 나오니까 춤 연습도 잘 안돼.

여전히 무응답이다. 문자의 노란색 '1' 자가 사라지는 것을 보니 내 글을 보고 있는 게 분명했다. 좀 더 기다렸다. 소리 말은 안 해도 글 말은 할 것만 같았다.

-안… 아파.

드디어 강민이 글자가 왔다. 뜻밖의 반응이 너무 반가웠다.

-다행이네. 학교 안 나올 거야?

-가기 시러!

글자에서 강민이의 감정이 느껴졌다. 나 같아도 애들이 미워 견딜 수 없을 거다. 어떻게 해서든지 학예회에 참여해 보려고 하는데 말이다.

-애들 때문에 화 많이 났네?

난 이렇게 말하고 나서 분위기를 바꿨다. 학교 일 말고 강민이가 좋아하는 퍼즐 맞추기 놀이나, 좋아하는 음식이 무엇인지 물어봤다. 강민이는 줄곧 'ㅋㅋ' 로만 대답할 뿐 다른 말은 별로 안 했다. 난 잠시 고민하다가 좋은 생각이 떠올라 엄지손가락을 바삐 놀렸다.

-강민아, 너 이따 세 시쯤 아파트 놀이터로 나올래? 내가 너한테 줄 게 있거든.

강민이는 한참 뜸을 들이다가 그러겠다는 뜻으로 'ㅇㅇ'를 보냈다.

-그럼 이따가 놀이터 그네 있는 데서 보자~

-ㅇㅇ

난 들뜬 기분으로 핸드폰을 닫았다. 집에 와서는 마음이 급했다. 무엇을 줘야 하나, 사실 줄 게 따로 있지는 않은데…. 그저 강민이를 꼬시기 위해 급하게 얘기한 것뿐이었다. 잠시 생각한 뒤 난 아끼던 편지지를 꺼냈다. 그리고 연필을 집어 들었다.

약속한 장소로 나갔더니 강민이는 벌써 와서 그네를 타고 있었다.

"강민아, 일찍 나왔구나!"

내 목소리에 그네를 타던 강민이가 고개 돌려 쳐다봤다. 난 손을 흔들어 보이며 뛰어갔다. 그리고 강민이 옆 그네에 엉덩이를 걸쳤다.

"아프지 않아서 다행이다 강민아."

내 말에 그네의 흔들림 때문에 그래 보였는지 몰라도 하여간 강민이는 머리를 끄덕이는 것처럼 보였다.

"이제 학예회 날이 며칠 안 남아서 선생님도 걱정이 많으셔."

내 말에 아랑곳하지 않고 강민이는 그저 앞만 보고 그네를 탔다.

"우리 춤 연습 계속하자, 응?"

이렇게 말하고 기다렸으나 여전히 반응이 없었다. 말을 하지 않는 강민이가 때로는 신비로운 느낌을 준다고 생각한 적이 있었다. 우리 반 애들은 하나같이 말을 너무 많이 하기 때문에 더 그런 생각이 들었는지 모른다. 강민이에게 내 속에 있는 말을 할까 말까 망설였다. 가슴이 쿵쾅거렸다.

"난 한때 너를 안 좋게 생각했는데…, 이제는 달라졌어."

들릴 듯 말 듯 이렇게 말하고 강민이를 곁눈질로 봤다. 강민이는 그저 앞만 보고 천천히 그네를 타기만 했다. 그러다 더 세차게 탔다. 난 좀 더 솔직한 어떤 말을 하려다가 멈췄다. 내 안에 또 다른 내가 방해를 했기 때문이다.

"이제 난 네 편이야. 내일은 학교에 꼭 와."

겨우 이 말을 하고 발을 굴려 나도 세차게 그네를 밀었다. 강민이는 반대로 속도를 줄였다. 점점 줄이더니,

"소… 은아."

라고 말을 했다.

'어? 잘못 들었나?'

난 귀를 의심했다. 강민이의 하얀 마스크를 뚫고 나온 것은 분명

말소리였다. 난 그네의 움직임을 멈추고 다급하게 물었다.

"강민아, 너 지금 말한 거야? 그렇지? 말한 거지?"

내 말에 강민이는 고개를 천천히, 그러나 분명하게 끄덕였다. 내게 말을 한 거다. 내 이름을 부른 거다. '소은아'라고, 강민이가.

"소… 은아, 고마워."

봐, 말하잖아. 고맙다고 하잖아. 이 소리를 녹음하고 싶었다.

"와~, 강민아, 너 목소리 좋~다!"

난 엄지손가락을 치켜세우며 칭찬했다. 이렇게 말할 줄 알면서 그동안 왜 그랬을까. 난 더욱 신이 나서 말을 걸었다.

"강민아, 내일부터 학교 올 거지? 그렇지?"

잠시 머뭇거리다가 고개를 끄덕이면서 강민이는 또 말을 했다.

"응…, 가… 갈… 게."

"그래, 잘 생각했어. 친구들도 네 걱정을 많이 하고 있어."

이렇게 말하면서도 그 '친구들' 속에 하찬우나 허세나는 없다는 생각을 했다.

"소… 소은아, 내가 너에게 말을 했다고 얘기하지 마, 다른 애들한테…."

"그래 강민아, 알았어. 비밀로 할게. 걱정하지 마."

강민이 부탁에 난 오른쪽 검지손가락을 입에다 꾹 대고 약속을 했다. 살랑바람이 놀이터 바닥에 떨어진 낙엽을 시소가 있는 곳으로 데리고 갔다. 그네를 타면서 강민이랑 한참 이런저런 얘기를 나눴다. 내게 입을 열어준 강민이가 고맙게 느껴졌다. 가족에게만 허락된 것을 내게도 나눠줬다. 그래서 그 목소리는 마치 선물 같은 느낌이 들었다.

학원 갈 시간이 돼서 대화를 마쳐야 했다.

"강민아, 내가 줄 것은 이거야."

준비한 편지를 강민이에게 건네면서 말했다.

~강민아, 너는 우리 반에서 없어서는 안 될 소중한 친구야. 힘내. 네 옆에서 이 소은이가 도와줄게~

편지 내용이다.

다음날 강민이는 학교에 왔다. 강민이는 변함없이 침묵의 강에서 나오질 않았다. 난 강민이가 말을 했다고 그 누구에게도 얘기하지 않았다. 나만의 소중한 비밀로 간직하기로 했다.

우리는 비로소 완전체가 되어 춤 연습을 계속했다. 누군가 말했나, 연습만이 살길이라고. 선생님은 우리가 정성껏 하면 어김없이 운동장으로 데리고 나가 축구와 피구를 하게 해 주셨다. 그렇게 몇 날 며칠 동안 엄청난 연습 끝에 우리 스물일곱 명은 아주 자연스럽게 포크댄스를, 춤을 출 수 있게 되었다. 선생님도 이 정도면 잘하는 거라고 흡족해하며 칭찬하셨다. 무엇보다 강민이가 연습의 어려움을 견뎌준 게 얼마나 다행인지 모르겠다. 이젠 스텝도 안 꼬이고 자연스럽게 춤을 잘 추었다. 그런 강민이를 보는 게 난 즐겁기만 했다.

드디어 학예 발표회 날이 왔다. 커다란 강당에는 학부모들로 꽉 찼다. 강당의 창은 모두 암막이 쳐져서 어두웠다. 다만, 알록달록한 색 조명이 비추는 무대만은 밝았다. 저 무대에서 오늘 우리 반이 멋들어지게 공연할 모습을 그려보니 가슴이 콩닥콩닥 뛰었다. 하지만 걱정거리가 하나 있었다. 강민이가 아직 안 온 것이다.

어제 마지막 연습이 끝나고 정리하는 시간에 작은 마찰 하나가 아무래도 신경이 쓰였다. 하찬우는 왜 그랬을까.

어제 집에 가기 직전 일이다. 하찬우는 강민이에게 다가와서 일부러 어깨를 슬쩍 밀쳤다.

"너 내일 아플 거지?"

하찬우의 이 뜬금없는 소리에 강민이는 그저 쳐다볼 뿐이었다.

"무대에 올라가 많은 사람 보는 데서 춤추는 거 부담되잖아. 창피하면 안 와도 돼. 우리끼리 잘할 테니까."

이렇게 말하며 예민한 강민이 감정을 건드렸다. 옆에 있던 나는 느닷없이 도발한 하찬우를 노려봤다. 그리고 뭐라고 쏘아붙이려는데 순간 말이 막혀 안 나왔다. 그런 나를 보며 하찬우는 '쉿'하며 고개를 가로저었다. 그리고 기분 나쁘게 웃으며 교실 문밖으로 나갔다. 강민이의 눈이 벌겋게 충혈되는 듯했다. 흥분하면 보이는 모습이다.

"괜찮아. 재 놀림에 신경 쓰지 마, 강민아."

난 강민이 귀에 대고 조용히 말하며 달래줬다. 어제 강민이는 그렇게 화가 나서 집에 갔던 것이다.

강당에 우리 반은 남자 한 줄, 여자 한 줄로 맞춰서 앉았다. 강민이의 빈자리가 크게 보였다. 평소에 지각을 자주 한다지만, 오늘은 유난히 불안한 이유는 어제 일 때문이다. 선생님도 초조하게 강당 출입구를 자주 보셨다. 강민이가 안 올까 봐 걱정하시는 거였다.

드디어 행사가 시작되었다. 다른 반이 무대에 올라가서 발표하기 시작했다. 우리 반은 중간 순서여서 아직 여유시간이 있었다. 만약 강민이가 안 오면 어쩌지, 하며 불안해하고 있는데 얘들의 수군거리는 내용이 나를 더욱 초조하게 만들었다.

"얘들아, 강민이 오늘 못 오는 거 아냐?"

허세나의 말에 하찬우가 기분 나쁘게 웃으며 맞장구를 쳤다.

"김강민 때문에 우리 모두 춤을 추기로 했는데 안 오면…."

"안 오면?"

허세나는 찬우에게 더 가까이 귀를 쫑긋 세우며 말했다.

"그땐 우리 무대에서 엉망으로 춤을 춰 버리자."

"그럴까?"

허세나는 아주 좋은 생각이라는 듯 맞장구를 쳤다. 그런 뒤 앞에 앉은 내 어깨를 툭툭 치면서 말했다.

"소은아, 하찬우가 무대에서 엉망으로 하자는데?"

난 어이가 없어 무슨 말을 해야 할지 몰랐다.

"야, 그건 좀…., 말도 안 돼."

난 평소 같지 않게 더듬거리며 겨우 말했다.

"찬우야, 학부모가 저렇게 많이 왔는데 그래도 될까?"

허세나는 하찬우의 깜짝 제안에 조금은 걱정이 됐던지 다시 물어봤다.

"사람들은 실수하는 모습을 더 재밌어한다구. 그러니 괜찮아, 하자!"

하찬우의 괴물이 어느 때보다 더욱 꿈틀대는 것 같았다. 대담한 건지, 철이 없는 건지 모르겠다. 우리 반의 명예가 걸린 일을 망치겠다는 거 아닌가. 있을 수 없는 일이다.

'나쁜 애들 같으니….'

이 엄청난 짓을 어떻게 막아야 할지 난 무척 걱정되고 불안했다. 정말 강민이가 안 오면 큰일이다. 선생님께 일러바쳐야 하나 고민했다. 선생님은 출입구 쪽을 여전히 보고만 계셨는데, 나만큼이나 불안해 보였다. 첫 공연이 막 끝나고 다음 반이 무대로 올라가고 있었다. 사회자의 말소리가 내 귀에는 안 들어왔다. 내 속은 더욱 타들어 갔다.

'안 되겠다!'

난 벌떡 일어났다. 애들이 벌이려는 나쁜 계획을 선생님께 알려야 했다. 선생님께 막 가려는데 출입구를 보고 계시던 선생님 얼굴이 갑자기 밝아졌다. 강당 출입구 쪽에 강민이 모습이 보인 것이다. 난 순간 마음이 턱 놓였다. 선생님은 빛의 속도로 가서 강민이를 데리고 왔다. 강민이는 하얀 와이셔츠에 파란 나비넥타이를 매고 있었다. 오늘 공연을 잘해보려고 단단히 마음먹은 모습이었다. 선생님은 강민이 넥타이를 풀어내고 따로 준비한 진분홍 나비넥타이를 매주었다. 이번 왕자들의 넥타이 색은 진분홍으로 통일하기로 했기 때문이다. 넥타이를 맨 강민이 모습은 진짜 왕자 같았다. 난 강민이에게 주먹을 불끈 쥐어 보이며 소리 없는 파이팅을 외쳐 주었다. 이를 본 강민이도 머리를 끄덕였다. 이제 멋지게 공연할 일만 남았다. 한편, 하찬우 일당은 잔뜩 실망스러운 표정을 짓고 있었다. 그러거나 말거나.

우리 반 입장 안내가 나왔다. 비로소 마이크를 통해 나오는 사회자 말이 또렷하게 들렸다. 입장곡과 함께 우리 공주와 왕자들은 힘차게 무대로 올라갔다. 원형으로 공주들은 안쪽에, 왕자들은 바깥쪽에 마주 서서 손을 맞잡았다. 입장곡이 끝나고 잠시 멈춰 있는 짧은 시간에 긴장감이 느껴졌다. 떨리지만 한편으론 이 상황이 재미가 있다고 생각했다. 저쪽 편에 있는 강민이를 봤다. 잔뜩 긴장한 모습이다. 이윽고 포크댄스 음악이 흘러나왔다. 우리는 '힐 토우 힐 토우~' 스텝을 경쾌하게 밟으면서 리듬을 탔다. 음악에 맞추어 연습한 대로 이렇게 쭉 가면 됐다. 마치 열차를 타면 알아서 목적지에 가듯, 음악이 끝나면 우리의 춤도 끝나게 돼 있다. 학부모들은 공연 중간중간에 환호를 하며 박수를 쳤다. 짝 바꾸기가 몇 번 이루어져 드디어 강민이가 내 앞에 왔다. 맞이하고 싶었던 왕자님이다. 맞잡은 손이 땀에 젖어 있었다. 하지만 따뜻했다.

'요렇게, 요렇게!'

경쾌한 스텝을 밟으면서 나도 모르게 흥얼거렸다. '도시도'를 할 때 내 오른쪽 어깨를 스치며 도는 강민이 어깨가 그 어느 때보다 부드럽게 느껴졌다. 그리고 틀리지 않으려고 애쓰는 노력이 잡은 손에 그대로 전해져 왔다. 우리 둘이 추는 시간은 어쩜 그리도 후딱 지나가던지…. 나와 춤을 춘 뒤 다음 자리로 멀어져 가는 강민이를 아쉽게 바라봤다. 그러다 다가온 다른 애랑 엇박자가 날 뻔했다. 우리 반 아이들은 리듬에 맞추어 자연스럽게 모든 과정을 완성해 나갔다. 우리가 만든 원형처럼 모두 둥글게 하나가 되는 순간이었다. 음악이 멈추는 것과 동시에 우리의 춤도 멈추었다. 열차는 마지막 플랫폼에 무사히 도착한 것이다. 학무보들의 함성과 박수 소리가 엄청나게 들려왔다. 퇴장곡에 맞추어 행진하는 동안, 나는 마치 침대 위를 걷는 것처럼 엄벙덤벙하게 걸어 나갔다. 어떻게 우리 반 자리까지 돌아왔는지 모를 정도로 정신이 몽롱했다. 대성공이었다. 우리는 모두 멋진 공주였고 왕자였다.

자리로 돌아온 뒤 강민이는 여러 애들한테 칭찬 세례를 받았다. 나 빼고 다른 파트너였던 여자애들은 강민이에게 일부러 다가가서 잘했다고, 멋졌다고 칭찬 릴레이를 하기 바빴다.

"김강민, 잘했어."

"그래, 오늘따라 더 멋지게 잘하더라."

쏟아지는 칭찬에 강민이는 쑥스러워했다. 강민이가 땀을 닦고 있을 때 학부모 좌석에서는 눈물을 닦고 있는 사람이 있었다. 강민이 엄마다. 감격에 겨워 어찌할 바를 모르는 듯한 강민이 엄마를 보니 나도 뭉클해졌다.

귀 옆으로 흐르는 땀을 닦으면서 나는 앞쪽에 계신 선생님을 바라봤다. 선생님은 웃으면서 나에게 엄지척을 해 보이셨다. 나도 기뻐하며 힘껏 엄지손가락을 치켜세웠다. 그런 다음, 뒤편에 앉은 강민이에게 선생님으로부터 받은 엄지척을 보내줬다.

선생님은 내게서 무엇을 보셨길래 그날 야단을 안 치고 대화의 자리를 마련하셨을까. 난 막 돼 먹은 애였는데…. 그날 이후 변화한 나, 달라진 나 자신이 나도 놀랍다. 사람은 쉽게 변하지 않는다고 하던데 어째서 나에게 그런 일이 일어났을까.

그렇지. 생각해 보면 강민이는 몸이 아픈 게 아니라 마음이 아픈 것이다. 오늘처럼 춤을 몇 번 더 추면 강민이 안에 있는 침묵의 괴물이 힘을 잃고 물러날 것만 같았다. 이런 생각을 하면서 다시 강민이에게 눈길을 줬다. 강민이도 나를 봤다. 마스크 쓴 강민이 얼굴에 입꼬리가 한껏 올라갔다. 웃음 띤 그 모습을 안 봐도 난 알 수 있었다.

-끝-

고래열차

케마

케마

고래도 살고 고양이도 사는 방에 살고 있다.

무드 등에는 장난기 가득한 요정이 자고 있고 침대 밑에는 구름이 깔려 있다.

고고기지국 소장으로서 이곳저곳에 고래와 고양이를 풀면서 살고 싶다.

그래서 동화를 쓰게 되었다.

어느 밤 고래열차가 찾아왔다. 보랏빛의 큰 고래가 입으로 창문을 두드렸다. 우리 집은 15층인데 꿈을 꾸는 걸까.

고래는 따뜻한 황금색 눈동자로 나를 응시하며 할머니처럼 다정한 미소를 보였다. 마치 '괜찮아. 난 네 편이야.'라고 속삭이는 것 같았다.

나는 홀린 듯 창문을 열어주었다. 고래는 싱긋 웃더니 입을 반쯤 벌렸고 그 속에서 누군가 걸어 나왔다. 검은 망토를 두른 데다 챙이 큰 검은색 모자를 푹 눌러써서 얼굴이 보이지 않았다.

"안녕하세요! 한지유님 맞습니까?"

"누구시죠?"

정신을 차리고 최대한 까칠하게 반응했다. 13년 인생 통틀어 가장 수상한 이에게 내 소개를 함부로 할 수는 없었다. 그는 잠시 고민한 뒤 모자를 벗더라도 겁먹지 말아 달라고 당부했다.

나는 무섭지 않으니 신원을 밝히라며 일부러 세게 맞받아쳤다.

그건 사실이기도 했다. 내가 가장 무서웠던 일은 3년 전 아빠가 갑작스레 하늘나라로 갔던 일뿐이었다. '갑자기'라는 단어가 그토록 무서운지 그때 처음 알았다. 아빠는 출근길에 '갑자기' 쓰러지며 의식을 잃었고 나는 '갑자기' 아빠와 단절되었다. 모든 일이 거짓말 같아 현실감이 없었다. 아빠가 다시 일어날 수만 있다면 영혼도 팔 수 있었다. 이번 생의 영혼만으로 안 되면 다음 생, 그다음 생의 영혼까지 바칠 테니 아빠를 살려 달라고 기도했다. 그러나 절절한 기도도 저승사자를 막을 수는 없었다. 아빠는 나와 작별 인사도 못한 채 한 달 후 내 곁을 떠났고, 그 후 나는 어떤 일을 겪어도 담담한 사람이 되었다.

검은 망토를 두른 이는 나의 담담한 태도에 안심하는 듯했다. 그가 '실례하겠습니다.'라며 모자를 벗을 때, 고래 눈동자처럼 따뜻한 갈색 털이 가장 먼저 보였다. 잠깐. 갈색 털?

"저는 고래열차의 13년 차 갈색고양이 승무원 제이라고 합니다. 고래열차는 딱 하루, 당신이 간절히 원하는 곳으로 데려다준답니다. 한지유님이 맞다면요."

이게 다 무슨 말이람. 나는 겉으론 무표정을 유지했지만 속으론 말문이 턱 막혔다. 아무리 담담한 성격이라 해도 지금은 놀랄 수밖에 없었다. 그러면서도 혹시 아빠가 보낸 건 아닐까-라는 기대감이 스쳐 지나가기도 했다.

"제가 한지유는 맞긴 한데… 저를 어떻게 알고 찾아오신 거죠?"

수상한 승무원은 손에 쥔 회중시계를 확인하더니 빠르게 설명했다. 내 방에 있는 *푸른빛의* 돌이 나를 선택했던 것이고, 그 아이를 데리고 있다 보면 고래열차가 찾아온다고 했다. 아빠가 보낸 건 아닌 듯하여 아쉬웠다. 그는 열차 출발시간이 다 되었다며 함께 갈 것인지 물었다.

"정말 어디로든 갈 수 있나요?"

"그럼요, 공룡시대, 중세시대, 얼음나라, 마법학교 어디든 가능하죠. 하루가 끝나면 안전하게 집으로 모셔다 드릴 거고요."

제이는 고래처럼 따뜻한 미소를 지었다. 어쩐지 아빠마저 떠나고 세상에 혼자 남겨졌을 때 할머니가 함께 가자며 안아주던 온기가 떠올랐다.

고래열차를 타면 아빠를 다시 만날 수도 있지 않을까. 내 절절한 기도가 저승사자를 이기진 못했지만 이 기묘한 고래와 고양이에겐 통할 수도 있지 않을까. 단 하루라도 좋으니 아빠에게 미안하고 사랑한다는 말을 전할 수만 있다면, 아빠와 제대로 된 작별 인사라도 할 수 있다면 누구든 따라갈 수 있었다. 처음부터 고민할 필요가 없었다.

"알겠어요. 그럼 탈게요."

"잘 선택하셨어요! 안전하게 모시겠습니다. 들어가시죠!"

제이를 따라 들어간 고래 열차 내부는 일반 기차들처럼 평범했다. 안내받은 객실 칸에는 2인용의 회색 스웨이드 소파 두 개가 마주 보며 배치되어 있었다. 차창 밖으론 검푸른 밤하늘과 무수히 많은 별들이 보였다. 나는 제이의 맞은편 자리에 앉아 그가 먼저 말하길 기다렸다.

"우선 어디로 갈지 정해야 해요. 가고 싶은 곳이 있나요?"

가고 싶은 곳이 있냐고. 당연히 있다. 아빠가 보고 싶어서 이 수상한 고양이 승무원을 냉큼 따라온 것이다. 하지만 쉽게 말이 떨어지지 않았다. 나는 아빠가 없다는 사실을 필사적으로 숨겨왔다. '고아'라는 꼬리표가 부끄러웠고 불쌍하게 쳐다보는 사람들의 시선이 불편했다. 내가 대답하길 주저하자 제이가 특유의 편안한 미소로 말했다.

"지유님, *푸른빛의* 돌이 왜 지유님을 선택했는지 아시나요?"

그러고 보니 의아했다. 학부모 참관회가 있던 날 고모와 함께 하교할 때 주운 돌이었다. 다른 친구들이 엄마나 아빠와 재잘거리는 모습을 보기 싫어서 땅만 보며 걷다가 발견했었다.

"*푸른빛의* 돌은 마음 한구석에 간절한 소망을 감춰둔 손님을 찾아가죠. 하지만 스스로를 내려놓고 솔직해졌던 손님들만이 원하는 바를 이루고 갔어요."

제이는 고래열차에 탑승한 것부터 목적지를 정하는 것까지 선택은 결국 내 몫이라고 했다. 나도 이제 와서 포기할 생각은 없었다. 이미 아빠를 만나기 위해 뭐든 하자는 마음으로 따라왔으니 말이다. 심호흡과 함께 자존심을 몽땅 내뱉으며 말했다.

"3년 전 하늘나라로 떠난 아빠가 보고 싶어요."

제이는 5초 정도 얼어붙은 것 같았다. 혹시라도 그가 나를 불쌍하게 바라볼까 봐 마음을 졸였다. 그는 뾰족한 손톱으로 코를 긁적이더니 말을 이어갔다.

"실은 이승에서 저승으로 가는 건 어려워요. 다만 고인께서 살아계셨던 과거로 보내줄 수는 있답니다. 물론 지유님 기억 속의 과거이기 때문에, 과거사에 어떤 영향도 끼칠 수 없지만요. 그렇게 하시겠어요?"

피식 웃음이 나왔다. 조금 전까지 헛다리 짚으며 마음 졸였던 스스로가 귀엽게 느껴지기까지 했다. 게다가 여유롭던 제이가 멋쩍게 말하며 내 표정을 살피는 모습을 보자니 나는 되려 긴장이 풀려 버렸다. 하늘을 나는 고래도, 13년 차 고양이 승무원도 못하는 게 있구나. 심각하게 생각했던 일들이 별일 아닌 것처럼 느껴졌다.

나는 기억 속의 아빠라도 보고 싶은 마음이 컸기 때문에 흔쾌히 동의했다. 제이는 안도하며 돌아가고 싶은 특정 순간이 있는지 물었다.

"글쎄요. 저는 그냥… 아빠가 살아있던 그 모든 시간들이 그리워요."

정말이었다. 아빠랑 밥을 먹던 시간, 잠들기 전 아빠가 동화며 신화며 세상에 있는 모든 이야기를 해주던 시간, 친구와 싸우고 아빠 앞에서 서럽게 울던 시간, 심지어 아빠에게 혼났던 시간까지, 아빠와 함께 했던 모든 시간들이 그리웠다.

"알겠어요. 이제 제가 10부터 1까지 카운트다운 할 테니 눈을 감고 계세요. 숫자 세기가 끝나고 눈을 뜨면, 당신이 원하던 순간으로 돌아가 있을 거랍니다."

내가 눈을 감은 동안 제이가 천천히 숫자를 세었다. 10, 9, 8, 7 …

"아, 그런데 학교 안 가는 날로 보내주세요!"

5초를 남기고 내가 다급하게 외쳤다. 눈을 감고 있었지만 어쩐지 제이가 웃고 있는 것 같았다. 제이는 대답하지 않고 숫자를 이어갔다. 4, 3, 2, 1.

"헉!"

나는 긴 꿈을 꾸다가 잠에서 깬 사람처럼 눈을 떴다. 주변을 두리번거리자 예전에 아빠와 같이 살던 집의 베이지색 벽지가 보였다. 침대 등받이에 기대앉아 핸드폰을 켜보았다. 4년 전 일요일 오전 10시. 지금 꿈을 꾸는 건지, 지금까지 겪었던 일이 꿈이었는지 혼란스러웠다. 그때 방문 밖에서 익숙한 목소리가 들렸다.

"한지유. 아직도 안 일어났니?"

아빠다. 아빠가 있는 곳으로 돌아온 거다.

"한지유!"

아빠 목소리가 한 번 더 들렸다. 방문이 벌컥 열리며 앞치마를 두른 아빠와 눈이 마주쳤다.

나는 멍하니 아빠를 쳐다보았다. 마지막으로 봤었던 아빠의 앙상한 몸, 생기 없는 눈, 죽음이 다가오는 듯했던 병실의 공기와는 전혀 달랐다.

"어… 아빠. 정말 아빠야?"

"뭐?"

정말 아빠구나. 단전에서부터 용암처럼 뜨거운 무언가가 올라왔다. 콧김이 뜨거워졌다. 머릿속 이성의 끈이 핑- 하고 끊기면서 쌓여있던 용암들이 한 번에 분출되어 터져 나왔다. 이불을 꼭 붙잡고 목 놓아 울었다. 꿈이라면 깨고 싶지 않았다.

"대체 왜 나를 두고 먼저 간 거야."

"안 좋은 꿈 꿨어? 무슨 일이야?"

아빠가 당황해하며 안아주었지만 눈물이 멈추질 않았다. 아빠 품에서 따뜻한 밥 냄새가 났다. 입관식에서 차갑게 누워있었던 아빠가 지금은 내 얼굴을 쓸어주며 '우리 지유'라고 했다. 이 온기가 너무나도 그리웠다. 다시 만나면 묻고 싶은 것들이 많았는데 당장은 머릿속이 새하얗게 도배되어 있었다. 그저 모든 것들이 또다시 '갑자기' 사라질까 봐 아빠 옷자락을 꼭 움켜쥐었다.

"악몽을 꿨어. 아빠가 말없이 사라져서 혼란스러웠어."

"무슨 소리야. 아빠는 늘 지유 곁에 있는걸."

'아니야. 현실세계에서 아빠는 갑자기 떠났어.'라는 말을 속으로 삼켰다. 안심할 수 없었다. 세수하고 올 테니 기다리라고, 갑자기 사라지면 안 된다고 두세 번 강조하고는 화장실로 들어왔다.

정신 차리자 한지유. 아빠와의 하루를 소중하게 보내야지. 울기만 하다 돌아갈 순 없었다. 변기에 앉아 아빠와 하고 싶었던 일들을 핸드폰에 적어보았다.

1. 배드민턴 치기.

2. 사랑하고 미안하다고 말하기, 최대한 많이.

3. 아빠가 좋아하는 것 물어보고 같이 하기.

4. 가능하다면 아빠가 해주는 김치볶음밥 먹어보기.

5.

나는 5번까지 적으려다 잠시 멈추었다. 이걸 이룰 수 있으려나.

3년 동안 아빠에게 품고 있던 의문이 있었다. 사실 그걸 알아내고 싶어서 여기까지 왔다고 해도 과언이 아니었다. 잠시 머뭇거리다가 5번을 이어 적었다.

5. 아빠가 마지막으로 내게 하려고 했던 말 알아내기.

부엌으로 가자 아빠가 차린 밥이 식탁에 놓여 있었다. 그립고 그리웠던 아빠밥. 아빠밥을 보자 마음이 울렁거렸다. 눈물이 나오려는 걸 꾹 참고 자리에 앉아 뜨뜻한 밥 한 숟갈을 떠먹었다. 갓 지은 듯한 밥에선 고소하고 푸근한 온기가 느껴졌다. 맞은편에선 아빠가 나를 유심히 쳐다보고 있었다. 그 뜨신 관심과 온기 탓에 결국 눈시울도 뜨뜻해졌다.

"지유가 왜 그럴까. 오늘 날씨도 좋은데 배드민턴 치러 갈까?"

배드민턴은 어릴 때부터 아빠랑 자주 즐기던 종목이었다. 하지만 어느 순간부터 친구들이랑 노는 게 더 재밌었고, 아빠가 배드민턴 치자고 할 때마다 바쁘다며 거절하는 일이 늘어났다. 돌이켜보니 거절했던 순간들이 가장 미안하고 후회되었다.

이번엔 고개를 위아래로 세차게 흔들며 강한 긍정을 표현했다. 아빠가 슬며시 미소 짓자 내 마음 한 자락에 있던 죄책감 덩어리 한 조각도 슬며시 떠내려갔다.

밥을 먹고 공원으로 나왔다. 햇살이 따사롭고 미세먼지가 없어서 배드민턴 치기 딱 좋은 날씨였다. 제이의 센스가 탁월했다.

공원 코트에 자리를 잡고 주위를 둘러보니 가족단위로 나온 사람들이 많았고 대부분 하하 호호 떠들고 있었다. 활기가 넘치는 분위기 덕분인지 아빠도 조금 신나 보였다.

예전에는 이토록 평범한 일상의 행복을 몰랐다. 말수 적은 아빠가 답답하고 재미없게 느껴지기도 했다. 어느 저녁엔 아빠랑 배드민턴 치기로 해놓고 친구들이랑 노느라 약속을 취소하기도 했다. 그날 아빠 혼자 배드민턴 채를 들고 공원까지 갔다가 돌아왔다고 했다. 아빠가 돌아가신 뒤엔 그날의 후회와 죄책감을 이루 말할 수가 없었다. 한껏 들떠 퇴근했다가, 내가 오지 않아 실망했을 그 쓸쓸한 뒷모습이 떠올라 참을 수가 없었다. 스스로가 원망스러웠다. 그날 아빠는 무슨 심정으로 혼자 배드민턴 채를 들고 공원에 갔던 걸까.

한참 배드민턴을 치다가 벤치에 앉아 쉬는 동안 아빠에게 그날에 대해 물었다. 아빠는 그게 언제였더라- 생각하더니 이내 답했다.

"아, 그때. 그땐 혹시라도 지유 네가 올까 봐 공원에서 기다려 보았지."

분명 내가 못 갈 것 같다고 했는데 날 기다렸다니 전혀 이해가 되지 않았다. 그렇게 배드민턴을 치고 싶었으면 차라리 다른 동네 사람들과 어울리지 그랬냐고 물었다. 아빠는 뜸 들이더니 씨익 웃으며 부끄러운 사실을 실토하듯 말했다.

"배드민턴 치는 것도 좋지만 그보단 지유랑 놀고 싶었던 마음이 더 컸던 거지."

머리를 띵 맞은 느낌이었다. 왜 이 생각을 못 했지. 단순히 배드민턴이 좋아서 치러 가자고 한 게 아니었다. 아빠에게 배드민턴이란 나랑 놀 수 있는 수단이었던 거다.

나는 아빠와 눈을 마주치며 말했다.

"아빠 미안해."

아빠의 눈동자가 미세하게 흔들린 것 같았다. 나는 그동안 하고 싶었던 얘기를 했다. 그날 아빠가 쓸쓸하게 혼자 있었다는 사실을 떠올릴 때마다 늘 마음이 아팠던 것, 다음이 있다면 다시는 아빠를 혼자 내버려 두지 않겠다는 것, 나도 아빠랑 같이 있을 때가 가장 좋다는 것을 꾹꾹 눌러 전했다.

아빠는 특유의 천진한 미소로 씨익 웃었다.

"괜찮아. 아빠는 잊고 있었어. 그보단 지유랑 함께 해서 즐거운 기억이 훨씬 많은걸."

죄책감과 안도감이 동시에 들었다. 차라리 나를 원망하면 좋을텐데 아빠는 왜 항상 괜찮다고 할까- 싶으면서도 한편으로는 마음의 짐 한스쿱이 덜어졌다. 아빠를 떠 올리면 미안하고 아쉽기만 했는데 아빠는 즐거운 기억이 더 많다니 다행이었다. 나는 사과의 의미로 오늘 하루 아빠가 좋아하는 걸 같이 해주겠다며, 또 좋아하는 것이 무엇인지 물었다. 아빠는 바로 대답하지 못하고 고민하는 듯했다.

"아빠도 나만 할 때가 있었을 거 아냐. 어릴 때 뭐 하고 놀았어?"

"나도 지유랑 비슷했을걸. 과자랑 아이스크림을 워낙 좋아했던지라 친구들이랑 맛있는 거 사 먹고 떠드는 게 낙이었지."

그러고 보니 종종 아빠가 퇴근길에 아이스크림을 사 오곤 했었다. 언젠가는 아이스크림이 내게 해롭다고 느껴졌는지 아파트 입구에서 몰래 먹고 들어오다가 발각되기도 했다. 아빠랑 뭘 해야 할지 알 것 같았다.

"그럼 가자. 아이스크림 먹으러."

우리는 아이스크림 전문점 베리라보스32에서 새로 나온 망고 맛 아이스크림을 맛보기로 했다. 그전에 집에서 씻고 간단히 요기를 하다 보니 시간이 훌쩍 지나 있었다. 베리라보스32에서 아이스크림을 받고 테이블에 앉았을 땐 벌써 3시였다. 아침에 적었던 리스트가 떠오르면서 마음이 조급해졌다. 망고 아이스크림을 퍼먹으며 아빠에게 또 좋아하는 일이 있는지 물었다.

"지유. 너무 서두르지 마. 아빠는 무언가를 하는 것보다, 이 순간에 지유랑 느긋하게 웃고 떠드는 것 자체가 좋아."

또다시 마음이 저릿해졌다. 이제껏 뭐가 그리 바쁘다고 아빠랑 이런 시간을 가지지 않았던 걸까. 왜 진작 이러지 않았을까. 아빠랑 얘기하면 할수록, 배드민턴이나 아이스크림 같은 것들은 나와 친해지기 위한 창구에 불과했다는 것을 깨달았다. 아빠도 나랑 친하게 지내고 싶은데 배드민턴 말고는 어떤 방법이 있는지 몰랐던 거다. 늘 말수도 적고 표정 변화가 없어서 몰랐는데 어쩌면 아빠도 외로웠겠다는 생각이 들었다.

아빠와 노래방에 가서 열창도 하고 오락실에 가서 게임도 하며 해가 질 때까지 놀았다. 이 순간이 계속될 수만 있다면 좋을 텐데. 다시는 돌아올 수 없는 이 시간들이 그리워지면 어떻게 해야 할까. 아빠에게 물었다.

"괜찮아. 다 살아지더라."

아빠는 오락실 농구게임에서 농구공을 열심히 던지며 별일 아니라는 듯 말했다. 나도 어른이 되면 저렇게 담담해질 수 있는 걸까.

"만약 나중에 아빠가 하늘나라로 떠나서 아빠가 너무 보고 싶어지면?"

아빠가 농구 게임을 끝내고 내 쪽을 바라보았다. 그러고는 내 어깨를 잡고 눈을 마주치며 대답했다.

"지유. 그땐 당연히 보고 싶겠지. 그래도 아빠는 지유가 너무 슬퍼하진 않았으면 좋겠어. 밥도 잘 먹고 학교도 잘 다니고 친구들이랑 웃으면서 행복하게 살았으면 좋겠어. 그게 아빠 마지막 소원일 거야."

아빠는 어깨에서 손을 떼고 다시 농구공을 잡으며 덧붙였다.

"왜냐하면 눈에 보이진 않겠지만 어디서든 지유를 응원하고 있을 거거든."

마음속 물결이 넘실거렸다. 어쩌면 이 말을 듣고 싶어서 여기까지 온 게 아닐까. 아빠는 눈에 보이지 않지만 늘 내 곁에 있을 거라는 말, 그러니 잘 살고 있으라는 말의 울림이 마음 바다 깊은 곳까지 퍼져나갔다.

집으로 돌아가기 전 아빠는 낡은 인형 뽑기 기계에서 베이지색 털이 복슬복슬한 강아지 인형을 뽑아 주었다.

"자. 오늘 하루 지유 덕분에 너무 즐거웠으니까 주는 선물."

언젠가 아빠가 퇴근길에 뽑았다며 줬던 인형이었다. 생각해 보면 아빠는 표현을 많이 하진 않았지만 종종 나를 위해 무언가를 사 오곤 했다. 그땐 별생각 없이 받았는데 돌아보니 그 선물들에는 나를 생각하는 소중한 마음이 담겨 있었다. 현실에 아빠는 없어도 내가 받았던 마음들은 남아 있었다. 아빠가 유언 한마디 안 남기고 갑자기 가버렸다고 생각했는데, 사실 아주 오래전부터 내게 남긴 것들이 많았던 것 같았다.

어쩌면 매번 내게 했던 말들이 그 순간의 유언이었을 테다. 매 순간 나를 위해 해주었던 말들, 애정이 담긴 행동들, 사랑, 그런 것들이 아빠의 유언인 것이다.아빠가 의식을 잃기 전 마지막 순간에도 내게 하고 싶었을 말이 무엇인지 알 것 같았다. 직접 듣진 못했지만 마음으로 알 수 있었다. 내 마음 가장 깊은 곳에 오랫동안 얼어붙어

꼼짝도 안하던 커다란 빙하가 녹아내리기 시작했다. 나는 아빠 없는 아이가 아니었다. 눈에 보이진 않지만 날 사랑해주는 아빠가 있는 아이였다.

"아빠. 생각해 보니까 눈에 보이지 않는 마음이 제일 귀중한 것 같아. 그건 돈으로도 살 수 없는 거잖아."

"와. 지유, 벌써 인생의 지혜를 깨우치다니 대단한데? 그건 어른이 되어도 아무나 느끼지 못하는 건데 말이야."

아빠는 진심으로 감탄했다는 듯 날 쳐다보았다.

"그러니까 이 인형에 담긴 아빠의 마음도 알 것 같아. 나도 항상 고마워 아빠. 그리고 음… 언제나 사랑해요."

결국 전하고 싶었던 말을 뱉으며 아빠 손을 슬쩍 잡았다. 아빠에게 내 마음을 표현하지 못했던 사실이 늘 후회스러웠다. 아빠가 갑자기 떠나서 마지막까지도 전할 수 없었던, 이제 다시는 얘기할 수 없는 마음이었다. 아빠는 간지러운 표정을 숨기려는 듯 크게 웃었다. 이젠 여한이 없다며 웃는 모습에 나도 따라 웃었다.

집에 도착해 저녁으로 먹고 싶은 게 있냐는 아빠 물음에 '아빠가 해준 김치볶음밥'이라고 답했다. 너무나도 그리운데 다시는 먹을 수 없는 음식이었다. 일요일마다 아빠는 김치볶음밥을 해주면서 '맛있어? 회사 그만두고 식당 차릴까?'라고 물었었다. 그 당시엔 아빠가 진짜 회사를 그만 둘까 봐 '에이 그 정도는 아니야.'라고 했었는데, 돌이켜 보면 그때라도 회사를 그만두라고 했어야 했다.

"아빠가 해준 김치 볶음밥이 제일 맛있더라고. 회사 그만두고 식당 차려보는 게 어때."

아빠는 피식 웃었다. 돈 많이 못 벌어줘도 괜찮냐, 괜찮다, 아빠만 있으면 된다, 라고 주고 받으며 저녁을 준비했다. 소소하지만 즐겁다는 것은 이런 거구나.

아빠가 만들어 준 김치볶음밥은 내 인생을 통틀어 가장 맛있었다. 아마 아빠의 김치볶음밥을 먹는 건 오늘이 마지막이겠지. 자꾸만 눈물이 나려는 걸 애써 삼켰다.

"지유. 오늘따라 감성적이야. 사춘기가 왔나."

"아빠가 해준 김치볶음밥을 오랫동안 먹고 싶다는 생각이 들었어."

아빠는 잠시 생각하더니 말을 이었다.

"사실 이 김치볶음밥에는 특별할 게 없어. 어디서든 먹을 수 있는 맛이지. 그러니까 나중에 못 먹게 되더라도 너무 미련 갖지는 마."

아빠 특유의 이성적인 위로였다. 예전엔 이런 말들이 딱딱하게 느껴져서 아빠를 이해 못 할 때도 많았지만 지금은 큰 위로가 되었다. 어디서든 먹을 수 있고 또 느낄 수 있다고 생각하니 대수롭지 않게 느껴졌다.

"그러네. 게다가 아빠의 마음은 눈에 보이진 않지만 어디에든 있으니까. 꼭 김치볶음밥을 먹지 않아도 느낄 수 있겠네. 맞지?"

아빠는 그렇지-라며 진지하게 고개를 끄덕였다.

저녁을 먹고 아빠가 좋아하는 우주 SF 영화까지 같이 보았다. 이미 아빠랑 여러 번 봤었고 영화를 보는 동안엔 아빠랑 얘기를 많이 할 수 없어 아쉽기도 하지만 아빠가 좋아하는 것들을 같이 해주고 싶었다.

"지유. 영화도 말이야, 김치볶음밥과 같은 이치야. 영화에 미련 갖지는 마."

아빠는 어쩐지 오늘따라 이런 얘기를 해주고 싶다고 했다. 사실 아빠가 돌아가시고 나서부턴 이 영화 제목만 들어도 슬픔이 몰려왔다. 다시는 틀어볼 수 없을 것만 같았다. 하지만 영화는 영화일 뿐이라는 아빠의 말에 마음이 더 가벼워졌다.

잘 준비를 마치고 누워서 아빠가 종종 들려줬던 영화 이야기를 듣기까지 모든 것이 완벽했다. 이대로 영영 돌아가지 않는다면 말이다. 하지만 나는 현실로 돌아가야 했다. 그게 아빠가 원하는 것이니까. 어쩌면 내가 아빠를 위해 해줄 수 있는 가장 큰 사랑은, 이제 그만 아빠를 보내주고 현실에서 잘 사는 것일 테다. 아빠를 그리워하는 것 역시 내 욕심이었으니 이젠 놓아줄 때가 된 것 같았다.

"아빠, 만약 내일 세상이 끝난다면 오늘 나에게 무슨 말을 해주고 싶어?"

"음, 생각 좀 해봐야겠는데. 지유는?"

"나는 그럼 이렇게 말해야지. 아빠, 사랑해. 우리 아빠여서 고마워. 말 안 듣고 힘들게 해서 미안했어. 나는 어디서든 잘 살 테니까 내 걱정하지 마. 그리고 꼭 나보다 더 착한 딸 만나서 사랑받으면서 행복하고 건강하게 지내."

아빠는 '나보다 더 착한 딸'이라는 대목에서 소리 내어 웃었다.

"지유가 쉬운 딸은 아니지. 그래도 아빠는 지유가 내 딸이라 좋은데. 지유보다 좋은 딸은 없을 거야."

좋은 딸이란 뭘까. 말도 잘 안 듣는데 뭐가 좋냐고 묻자 원래 자식들은 부모님 말을 안 듣는 거라고 한다.

"중요한 건 이만큼 예쁘고 사랑스러운 딸은 또 없을 거라는 거지."

말도 안 듣고 고생만 시킨 줄 알았는데, 아빠 눈에는 내가 그렇게 보였구나. 아빠는 마지막 말을 이어갔다.

"아빠는 마지막 순간에 지유에게 이렇게 말하고 싶을 것 같아. 지유야, 내 딸이어서 고맙고 미안해. 지유 꿈을 세상에 마음껏 펼치면서 건강하고 행복하게 지내. 아빠는 늘 지유 곁에서 힘을 줄게. 지유 사랑해."

"나도 사랑해 아빠."

감겨 있는 눈에서 눈물이 흘렀다. 슬픔 때문만은 아니었다.

'그래. 이거면 됐어.'라 생각하며 잠에 들었다.

아침을 알리는 핸드폰 알림 소리와 함께 일어나니 할머니와 같이 사는 집으로 돌아와 있었다. 책장 선반을 올려다보자 '푸른 빛의 돌'은 온데간데없었고 대신 '고래열차 탑승완료'라고 적힌 티켓만 남아 있었다. 꿈은 아니었구나.

그때 선반 한 편에 아빠가 예전에 주었던 베이지색 강아지 인형이 눈에 들어왔다. 강아지 인형은 늘 선반 위에 있었는데도 인지하지 못했었다. 인형을 꼭 끌어안고 속삭였다. 그동안 몰라봐서 미안해. 이제부터 아껴줄게.

인형에서 아빠의 온기가 전해지는 것 같았다. 아빠의 마지막 말처럼 건강하고 행복하게 지내야지. 아빠는 늘 내 곁에 있을 테니까.

한결 가벼워진 아침이었다.

조드의 별

아이린

아이린

저는 어린이와 어른 모두가 꿈꾸는 세계로 떠나는 여정을 안내하는 특별한 능력을 가지고 있는 가이드입니다. 동심의 세계로 당신을 안내합니다. 당신이 원하는 꿈과 현실이 어우러져 놀라운 발견의 순간을 보고 싶으신가요? 당신을 그곳으로 초대합니다.

인스타그램: @boseuleeeee

티스토리: novelwriterirene-934.tistory.com/

"이제 시작할게요."

카메라가 나를 정면으로 향하고 있었고, 화려한 조명이 내 얼굴을 밝히면서, 순간적으로 나는 눈이 부셔 잠깐 아무것도 볼 수 없었다. 나는 깊게 숨을 들이켰다가 천천히 내뱉으며 질문이 오는 순간을 준비했다. 카메라의 불이 켜지고, 두근거리는 가슴을 한 번 더 숨을 내쉬면서 진정시켰다. 긴장의 물결이 내 마음을 휩쓸었지만 동시에, 그 순간 나는 두려움을 넘어서 설렘으로 가득 차기 시작했다. 화면 너머의 수많은 사람들이 언젠가는 바라볼 거라는 생각을 하고 있는 와중에 인터뷰어가 나에게 미소를 지으며 첫 질문을 던졌다.

"안녕, 조드, 오늘은 꿈의 대한 이야기를 할 건데. 10대인 당신에게 '꿈'이란 무엇인가요?"

나는 잠시 고민했다. 내가 정말 원하는 것이 무엇인지, 내가 진정으로 원하는 꿈이 무엇인지에 대해 생각해 본 적이 거의 없었다. 그러나 이 순간, 모두의 시선이 집중된 이 순간, 나는 내 마음 깊은 곳에서부터 뿜어져 나오는 솔직한 대답을 하고 싶었다.

"음, 사실… 많은 돈을 벌고 싶다는 생각을 해본 적이 있어요. 하지만, 그것만이 전부는 아니라는 것을 깨달았죠. 저는 제 자신의 목소리를 찾고 싶어요. 제가 진정으로 좋아하는 것, 제가 열정을 쏟을 수 있는 그 무엇이 무엇인지를 찾고 싶습니다. 저는 아직 그 답을 찾지 못했어요. 하지만 이 탐색 자체가 저에게는 꿈과도 같아요."

인터뷰가 끝나고 나는 고속트레인에 탑승했다. 인터뷰 동안 나의 모습이 어땠을지 생각하니 조금 부끄러웠다. 창 밖을 바라보며, 나는 그 부끄러움을 넘어서는 감정을 느꼈다. 그것은 할 일을 끝낸 해방감, 그리고 자신의 이야기를 생각한 것보다 잘 해냈다는 만족감이었다. 트레인 안 보이는 풍경이 지나가는 것처럼, 나의 불안감도 서서히 사라지고 있었다.

"에이, 이미 지난 일이야. 괜찮아."

나는 마음을 다잡고, 고속트레인에서 내렸다. 내가 도착한 곳은 조금 오래된 사무소 빌딩이었다. 익숙한 길을 따라 건물 안으로 들어서자, 경비 아저씨가 나를 힐끗 보더니 다시 TV를 보기 시작했다. 나는 엘리베이터를 타고 8층 버튼을 눌렀다. 잠깐 흔들리는 엘리베이터가 움직이기 시작했고 두근거리는 마음이 크게 들릴 정도로 엘리베이터 안은 너무 조용했다. 곧 도착했을 때 문이 열리면서 엘리베이터 문이 삐걱거리는 소리가 났다.

"삼촌, 저 왔어요!"

지금쯤 대답이 와야 할 텐데. 평소보다 시간이 걸린다.

"삼촌?"

삼촌이 있는 건지 아닌지 의심스러운 목소리로 다시 불러보았다. 인기척이 없는 게 이상했다.

달그락.

그때 들려온 소리에 그쪽으로 몸을 재빨리 돌렸다.

"어 왔냐."

언제나의 덥수룩한 수염에 씻지 않은지 오래된 기름진 머릿결, 엄마가 언제나 이야기하는 잔소리가 들리는 듯했다. 어디를 갔다 온 것인지 삼촌은 문에 서 있었다. 삼촌의 발밑에는 달그락 거렸던 음료 캔이 아직 이리저리 움직이고 있었다.

"어디 다녀오셨어요?"

"아아.."

또 저거다. 삼촌은 가끔 귀찮다는 듯이 내답했나. 아직 본격적인 질문은 시작도 하지 않았는데 말이다. 문쪽에서 걸음을 옮기면서 뒷머리를 긁적이는 게 골치 아픈 일이 일어난 모양이었다. 스트레스를 받을 때 나오는 가려움증이었다. 또 무슨 일이 있던 것일까. 궁금증이 일어나기 시작했다. 삼촌의 작은 행동 하나하나에서 느껴지는 무게감에 나의 마음도 조금씩 무거워졌다. 그의 뒷머리를 긁적이는 모습에서는 단순한 스트레스가 아닌, 어딘가 깊은 고민과 걱정이 엿보였다. 이런 삼촌을 보며, 나는 걱정과 궁금증이 교차하는 복잡한 감정을 느꼈다. 무엇이 삼촌을 이토록 고민하게 만든 것일까? 그리고 나는 삼촌의 걱정을 덜어줄 수 있을까? 이런 생각들이 내 마음을 어지럽혔다.

"인터뷰는 잘하고 왔어요."

"그래."

삼촌이 심드렁하게 대답했다.

"하고 왔다니까요."

원하는 대답이 나오지 않자 심술이 나서 다시 말했다. 하지만 침묵이 오래되었다.

"…. 원하는 거 저기다 놓았으니 가져가라."

삼촌이 가리킨 곳은 평소와 다름없이 조금 지저분하고, 무질서하게 널브러진 사무실 한쪽이었다. 종이와 책, 먼지로 뒤덮인 오래된 기계들 사이로 내가 찾는 것이 무엇인지 알 수 없었다. 하지만 삼촌이 말한 그 '원하는 것'은 금세 눈에 띄었다. 가장자리가 닳고 모서리가 구겨진 작은 상자, 그것이 오늘 내가 찾아야 할 대상이었다.

"감사합니다, 삼촌."

삼촌은 조용히 사무실 뒤쪽으로 걸어갔다.

삼촌의 등은 항상처럼 조금 축 처져 보였다. 삼촌이 어려운 일을 겪고 있다는 걸, 나도 알고 있었지만, 이곳에서 그런 얘기를 나누기에는 적절하지 않았다. 우리 모두 각자의 걱정거리가 있었고, 지금은 그런 이야기를 나눌 때가 아니었다.

상자를 들고 사무실을 나서면서, 나는 삼촌을 다시 돌아보았다. 삼촌은 사무실 구석에 조용히 앉아서 무언가를 진지하게 바라보고 있었다. 삼촌의 얼굴엔 집중하는 모습과 함께, 어딘가 그리워하는 듯한 표정도 보였다.

집에 돌아와 방에서 나는 상자 안에서 발견한 보물들에 눈을 떼지 못했다. 각자의 이야기와 비밀이 담긴 추리 소설들, 그리고 암호를 푸는 데 필요한 다양한 기술을 설명한 책들이 내 호기심을 자극했다. 상자 속에는 또한, 유명한 탐정들의 이야기와 그들이 어떻게 복잡한 미스터리를 해결했는지에 대한 설명도 들어 있었다. 나는 꺼내 놓았던 보물들을 다시 상자 안으로 하나하나 집어넣고는 상자 뚜껑을 닫고 방 안을 두리번거렸다.

'어디에 놓는 게 제일 좋을까?'

엄마가 알게 되면 잔소리가 심해질게 분명했기 때문에 옷장 안에 숨겨놓았다.

다음날, 학교 복도를 걸으며, 주위의 조용한 분위기가 마음을 무겁게 했다. 친구들 사이에서 나직이 나누어지는 이야기들에 궁금증이 생겼다.

'여기서 도대체 무슨 일이 벌어지고 있는 거지?'라고 혼자 생각하며 걷던 중, 마야의 얼굴에 드리운 걱정의 그림자를 보고 학교에서 무언가 심각한 일이 일어나고 있음을 직감했다.

나는 마야에게 다가갔다. 마야는 친구들의 일이라면 본인의 일처럼 생각하는 경향이 있었다. 본인의 말로는 공감능력이 높아서 그렇다고 했다.

“학교에서 누군가 나쁜 메시지를 보내고 있어. 많은 친구들이 그로 인해 마음이 아프대.”

마야가 걱정스러운 목소리로 말했다.

그 말을 듣는 순간, 왜인지 모르게 어젯밤 삼촌에게 받은 상자 속의 보물들, 즉 추리 소설과 암호 해독에 대한 책들이 떠올랐다.

이 걸로.. 무언가 도움이 될 수 있을까?라고 고민하며, 나는 내가 할 수 있는 일을 찾아보기로 마음먹었다.

“뭔가 어수선한데? 무슨 일이야?”

마야의 걱정스러운 모습을 보고 있으니 방금 학교에 도착한 듯 보이는 알렉스가 주위를 두리번거리며 다가와 가까이 있던 친구에게 물었다.

“디지털 괴롭힘이래, 난 우리 학교에서 이런 일이 일어날 줄은 상상도 못 했어.”

알렉스에게 질문을 받은 아이가 대답했다.

알렉스는 대답을 듣자마자 마야와 내가 서 있는 곳으로 시선을 옮겼다.

그 다음 날, 나는 문제 해결을 위해 알렉스와 마야를 도서관으로 불렀다. 그들 앞에 책들을 펼쳐 보이며, “우리가 이 문제를 해결할 수 있다고 생각해. 삼촌이 준 이 자료들로 말이야."

나는 그렇게 말했다.

알렉스는 기계를 만지거나 컴퓨터를 작동하는 기술에 능숙했고, 마야는 사람들과의 소통에서 뛰어났다. 우리 세 사람이 힘을 합친다면, 어떤 어려움도 극복할 수 있을 거라는 확신이 들었다.

우리는 먼저 괴롭힘을 당한 친구들과 대화를 시작했다. 그들의 이야기를 듣고, 메시지의 출처를 찾는 데 필요한 정보를 수집했다.

메시지는 대부분 외모를 비하하는 것에서 시작해서, 상처가 될 이야기뿐이었다.

"이런 건 너무한데..?"

마야가 메시지의 로그를 스크롤하며 보더니 본인이 받은 것처럼 반응했다. 익명으로 쓰인 메시지는 거침이 없이 하고 싶은 마음속 어둠을 들어내는 것 같았다.

알렉스는 학교 컴퓨터의 로그를 면밀히 검사하여 메시지가 언제 어디서 보내졌는지 추적하기 시작했다. 한편, 마야는 학교 내에서 떠도는 소문과 정보를 수집했다. 메시지 발송 시간과 컴퓨터 사용 기록을 대조하며, 우리는 중요한 단서를 발견했다. 도서관의 한 구석에 놓인 컴퓨터에서, 우리는 괴롭힘 메시지와 관련된 결정적인 정보를 찾아냈다.

“이제 시작해 볼까?”

알렉스가 컴퓨터 앞에 앉으며 말했다.

그의 손가락이 키보드 위를 빠르게 움직이기 시작했다.

“정말 이게 도움이 될까?”

마야가 조심스럽게 물었다. 그녀의 눈에는 걱정이 가득 차 있었다.

“알렉스, 이 암호를 봐. 너도 뭔가 이상하다고 느끼지 않아?”

내가 물었다.

알렉스가 화면을 들여다보며 고개를 끄덕였다.

“확실히, 이건 단순한 메시지가 아니야. 뭔가 패턴이 있는 것 같은데...”

“그럼, 우리가 삼촌한테서 배운 빈도 분석을 사용해 보는 건 어때?”

마야가 거들었다.

나는 삼촌에게서 받은 책상에 펼쳐진 노트를 가리키며 말했다.
“여기 보면, 특정 문자가 반복되는 걸 알 수 있어. 가장 많이 나오는 건 ‘L’이고, 그다음이 ‘T’. 영어에서는 ‘E’가 가장 흔하니까, ‘L’을

'E'로 가정해 보자."

알렉스가 키보드를 두드리기 시작했다.

"그리고 이 'T'는 'H'일 가능성이 높아. 문맥상으로도 맞을 것 같고."

마야가 중얼거렸다.

"그럼 'HELLO' 같은 단어가 나올 수도 있겠네. 이걸 키워드로 사용해 볼까?"

나는 앞으로 기울이며 집중했다.

"좋아, 그 키워드를 사용해서 나머지 메시지를 해석해 보자."

시간이 조금 흐른 후, 알렉스와 나는 환호했다.

"성공했다! 메시지는 '진정한 용기를 가진 자만이 진실을 마주할 수 있다'는 거였어!"

"와, 정말 대단해, 그럼 이제 이 메시지를 어떻게 사용해야지?"

마야가 박수를 치며 말했다.

"이제 우리가 할 일은 이 메시지를 보낸 사람을 찾아내는 거야.

이 메시지가 학교 컴퓨터에서 보내졌다는 걸 알았으니, 접속 기록을 추적해 보자."

난 결연한 표정으로 말했다.

알렉스의 기술적 지식, 마야의 소통 능력, 그리고 나의 추리 능력을 결합하여 문제의 해결에 다가섰다. 이 과정에서 나는 내가 직면한 문제를 해결하는 것뿐만 아니라, 내가 여태 고민하고 있던 중요한 단계를 밟게 되고 있는 것 같았다.

"여기, 이 로그를 봐. 메시지가 보내진 시간과 학교 컴퓨터의 사용 기록이 완벽하게 일치해."

알렉스가 화면을 가리키며 설명했다.

"그럼 우리가 찾는 건 이 컴퓨터를 사용한 사람이야?"

마야가 눈을 크게 뜨고 물었다.

메시지를 보낸 시간과 일치하는 로그인 기록을 찾아낸 우리는 그 컴퓨터를 사용한 학생이 제이든이라는 것을 알게 되었다. 하지만 제이든이 왜 이런 메시지를 보냈고, 그리고 그 메시지 뒤에 숨겨진 진짜 의미가 무엇인지는 아직 미스터리였다.

"맞아. 그리고 더 중요한 건, 제이든이 왜 이런 메시지를 보냈는지 알아내는 거야."

나는 진지하게 말했다.

우리는 제이든을 찾아 대화하기로 했다. 학교의 한적한 공터에서 그를 만났을 때, 분위기는 긴장으로 가득 찼다.

"왜 이런 짓을 한 거야?"

알렉스의 목소리에는 당혹감이 섞여 있었다. 그의 눈빛은 진심으로 이해하고 싶어 하는 호기심으로 가득 차 있었다.

학생, 제이든은 잠시 입을 다물고 있었다. 그의 눈가에 맺힌 눈물이 그가 얼마나 고민하고 있었는지 말해주는 것 같았다.

"나... 나도 모르겠어. 그냥, 모두가 나를 무시하는 것 같아서... 뭔가 반응을 보고 싶었어."

그의 목소리는 떨리고 있었고, 외로움이 그 속에서 울려 퍼졌다.

"그렇게 해서 뭐가 달라지는데? 다른 사람들을 아프게 하는 거 외에."

마야의 말에서는 약간의 분노가 느껴졌지만, 그것은 무엇보다도 실망과 슬픔에서 비롯된 것이었다. 그녀의 눈에서는 동정과 우려가 빛나고 있었다.

"미안해, 정말 미안해. 내가 잘못했어."

제이든의 고개가 깊게 숙여졌다. 그의 목소리는 진심이 담긴 후회로 가득 차 있었고, 그가 느끼는 죄책감이 공기 중에 퍼져나갔다.

"미안하다고 해서 모든 게 해결되는 건 아니야. 하지만, 네가 왜 그랬는지.. 우리가 도울 수 있어. 같이 상담 선생님을 만나러 가자."
나의 말은 격려와 지지의 의미를 담고 있었다.
나는 제이든에게 손을 내밀었고, 그의 눈빛에서는 두려움과 희망이 교차하고 있었다.
제이든은 처음에는 주저하다가, 결국 우리의 손을 잡았다. 그의 손길은 차갑고 떨리고 있었지만, 우리와 함께 걷기 시작하면서 조금씩 안정을 찾아갔다. 우리는 함께 상담 선생님의 사무실로 향했다. 걸음걸음마다 제이든의 부담이 조금씩 가벼워지는 것을 느낄 수 있었다.

제이든도 처음 마음속에는 작은 별빛처럼 반짝이는 소망이 있었으나, 그것을 어떻게 표현해야 할지 몰랐나보다. 그래서 제이든은 사람들의 시선을 끌 수 있는 방법을 고민하기 시작하며 이런 일을 벌인 것이었다. 제이든의 암호는 누구에게 보내는 것이었을까.

"이건 시작일 뿐이야. 우리 모두가 서로를 더 잘 이해하려고 노력

한다면, 학교는 더 좋은 곳이 될 거야."
마야가 길을 걸으며 말했다.

그녀의 목소리는 희망과 기대로 가득 차 있었다.

그날 이후, 우리는 학교에서 변화를 만들기 위해 노력했다. 서로를 이해하고 지지하는 분위기를 조성하기 위한 다양한 활동을 시작했다. 소외되는 친구들이 없게 수업에서 대화하는 시간을 갖는 등. 우리의 노력은 학교를 한층 더 따뜻한 곳으로 만들어 가고 있었다.

"정말 자랑스러워, 우리 모두 함께라면 어떤 문제도 해결할 수 있어."
알렉스가 웃으며 말했다.

'삼촌이 준 상자가 이렇게 큰일을 할 줄은 몰랐어.'
나는 속으로 생각했다.
우리가 시작한 작은 움직임이 이렇게 많은 변화를 가져올 줄은 상상도 못 했다.

"그래도 뭔가를 시작했다는 게 중요해. 우리가 앞으로 더 많은 걸 할 수 있겠다는 뜻이니까."
마야가 말했다.

"이제 학교가 좀 더 나아질 거라고 생각해?"

알렉스가 우리에게 물었다.

"그럼, 이미 시작했잖아. 이제 우리가 계속해서 노력하기만 하면 돼."

나는 미소를 지으며 대답했다.

우리 세 사람은 앞으로도 계속해서 학교에서 긍정적인 변화를 만들기 위해 노력하기로 약속했다. 삼촌이 준 상자는 우리에게 단순히 문제를 해결하는 도구가 아니라, 어려움에 맞서 싸우고 변화를 만들어낼 수 있는 용기를 주었다.

"우리가 할 수 있는 일이 정말 많아. 시작이 반이라고 하잖아."

마야가 말했다.

"그래, 우리가 변화를 만들 수 있어. 하나씩 차근차근해나가자."

알렉스가 확신에 찬 목소리로 말했다.

그날 이후로, 우리는 학교에서 보내는 시간을 더욱 의미 있게 만들기 위해 노력했다. 우리의 작은 행동이 학교를 더 나은 곳으로 만드는 데 기여할 수 있다는 것을 알게 되었다. 삼촌이 준 상자는 우리에게 무한한 가능성을 상기시켜 주었다. 우리가 서로 도우며 함께 나아갈 때, 우리는 어떤 어려움도 극복할 수 있다는 것을 배울 수 있었다.

"이 모든 것이 삼촌 덕분이야."

나는 속으로 생각하며 삼촌에게 감사의 마음을 전했다. 우리가 앞으로 나아가며 만들어갈 이야기들이 벌써부터 기대감에 요동치고 있었다.

그 모든 일이 지나고, 우리는 학교 내에서 '해결사'로 알려지기 시작했다. 소문은 빠르게 퍼져 나갔고, 우리의 도움이 필요한 학생들이 하나둘 우리를 찾기 시작했다. 문제가 생길 때마다, 우리는 그들의 곁에 있었다.

"우리가 여기 있는 한, 학교는 더 이상 두려울 것이 없어."

알렉스가 자신감 있게 말했다. 이번 일로 알렉스는 자신감을 가진 것 같았다. 알렉스의 말에 우리 모두가 고개를 끄덕였다. 우리의 우정과 지혜, 그리고 결단력이 학교를 바꿀 수 있는 힘이 되었다.

한편, 나는 삼촌이 남긴 그 상자를 다시 한번 바라보았다. 그 안에서 우리가 발견한 것들은 우리에게 많은 것을 가르쳐 주었다. 하지만 아직도 그 상자는 많은 두근거림을 간직하고 있었다.

"이제 우리에게 남겨진 미해결의 수수께끼들을 풀 때가 왔어."

나는 혼잣말처럼 말했다.

그때, 학교에서 새로운 도전이 우리를 기다리고 있었다는 소식이 들려왔다. 누군가가 학교의 비밀 통로에 대한 이야기와 함께, 그 통로가 숨겨진 역사와 연결되어 있다는 단서를 우리에게 전해 준 것이다.

"또 다른 모험이 우리를 기다리고 있군."

마야가 흥분된 목소리로 말했다.

우리는 서로를 바라보며 미소 지었다. 새로운 도전과 모험이 우리를 기다리고 있었다. 우리의 이야기는 아직 끝나지 않았다. 앞으로 우리가 마주칠 모든 문제들, 그리고 우리가 함께 해결해 나갈 모든 미스터리들이 우리를 기다리고 있었다.

"우리의 모험은 이제 막 시작됐어."

나는 친구들에게 말했다.

그렇게 우리는 다시 한번 모험을 시작했다. 우리 앞에 펼쳐질 수많은 이야기와 도전들에 맞서기 위해. 우리의 이야기는 계속될 것이었다. 끝없는 두근거림의 속으로.

삼촌이 부탁했던 인터뷰 영상이 인터넷에 업로드되어있었다.

"안녕하세요, 저는 조드라고 해요. 저는…"

화면 속의 과거의 내가 말을 꿈에 대한 이야기를 늘어놓기 시작했다.

영상이 세상에 공개된 후, 수많은 사람들이 내가 나눈 이야기에 깊은 공감을 표하며, 나의 용기와 솔직함에 감동을 받았다고 말했다. 이 순간, 내 마음은 한층 더 따뜻해지고 뿌듯함으로 가득 찼다.

많은 사람들의 공감과 격려가 나에게 큰 용기를 주었고, 그것이 바로 나의 마음속에 작은 빛이 되어 주었다.

우리가 된 건

김나연

김나연

인생을 살아가며 가장 중요하지만 가장 어려운 것은 나를 사랑하는 일이라고 생각합니다. 마음속의 진짜 감정을 마주하고 솔직하게 표현하는 일이 바로 그 출발점이지 않을까 싶습니다. 태용이와 혜영이의 이야기가 여러분에게 자신을 가까이 들여다볼 수 있는 마음의 망원경이자 자신의 어떤 모습이든 온전히 받아들일 수 있는 용기가 되길 간절히 바라봅니다.

블로그: blog.naver.com/rlaskdus1242

사랑받고 싶다. 모든 사람들이 날 좋아했으면 좋겠다. 그래서 난 거절은 물론이고 싫은 티조차 내지 못한다. 언제, 어디서, 무엇을 부탁하든 'yes'라고 답하는 나는 예스보이 조태용이다.

"태용! 나 샤프 좀"

"어 여기!"

아, 안된다고 했어야 했는데. 난 오늘 저 샤프 하나만 가지고 왔었으니까.

근데 왠지 거절하면 이기적인 애처럼 보일까 봐 문제없는 척 쿨하게 빌려줬다.

"미련곰탱이"

내 짝 안혜영이다. 별로 친하지도 않은데 종종 이런 말을 내뱉곤 한다.

"설마 나 얘기하는 건가?"

"그래 너. 네 몫도 못 챙기면서 무슨 남까지 챙기려 하냐?"

"그런 게 다 배려지. 이기적인 건 난 딱 질색이거든."

"그래서 그렇게 필기도 못하고 수업 듣는 거야?"

비아냥 거리는 투가 왜 이렇게 거슬리는지. 기분이 아주 팍 상해 버렸다. 이렇게 남 생각 안 하고 말하는 안혜영은 내 맘 속의 블랙 리스트다. 그리고 이렇게 안 맞는 애랑 늘봄제 모둠이라니. 눈앞이 캄캄하다.

늘봄제는 3일 동안 진행되는 우리 학교만의 특별 행사다. 교실 미화를 하는 건데 가장 개성 넘치게 꾸민 학급에는 상을 수여할 정도로 본격적인 데다가, 유명 뉴스 기사에도 몇 번 실린 적이 있을 정도로 꽤 유명하다.

"건우 네는 교실 앞, 채윤이 네는 교실 뒤, 다희 네는 복도 쪽 청소, 우리는 왼쪽 창가 청소를 맡을 거야. 하다가 문제 있으면 편하게 와서 말해줘. 자! 이제 다들 움직이자."

그리고 나 조태용은 6학년 10반의 학급 회장이다. 내 자부심은 27명 중 단 4명을 제외한 23명이 나에게 투표했을 정도로 인기가 있다는 것. 그래서 대부분의 친구들이 내게 호의적이다.

"싫어"

맙소사. 또 안혜영이다. 역시 '노걸'이라는 별명답게 '싫어, 안해' 라는 말을 입버릇처럼 한다.

그러나 난 책임감 넘치는 한 학급의 회장으로서 한 명만 따로 소외되는 건 볼 수 없다! 그게 아무리 블랙리스트 안혜영일지라도.

"ㅇ.. 어? 왜? 뭐가 싫은 건지 좀 더 구체적으로 말해줘"

"애들이랑 같이 하는 거 싫어."

"음.. 근데 학급 대회니까 10반 전체가 같이 해야 해서.."

"그래서? 나는 혼자 하면 안 돼?"

"그러면 교류가 가장 적은 쪽으로 해보는 건 어때? 아! 너 그림 잘 그리잖아! 그림 그려서 꾸ㅁ.."

"안 해."

내 말을 딱 잘라 가며 싫다고만 하니 나도 슬슬 화가 났다.

"이번엔 도대체 왜? 너 그림 그리는 거 잘하잖아. 작년엔 상도 받았으면서."

"안 한다고 했지. 듣기 싫으니까 그만 좀 해. 도대체 몇 번을 말해야 알아듣니?"

분명 가는 말이 고왔는데 오는 말은 왜 이렇게 공격적인 건지 기가 막혀 말이 나오지 않았다. 안혜영은 평소보다도 훨씬 격양된 투로 날 쏘아붙였다. 안혜영의 앙칼진 목소리에 반 아이들의 관심이 쏟아지는 바람에 난 애써 마른 웃음을 지으며 속에서 끓어오르는 화를 참고 또 참았다.

"혜영~ 나랑 창문틀 청소 같이 하자~!"

그때 다희의 밝고 따뜻한 목소리가 얼어붙은 우리의 대화를 녹인다. 다희는 어느 누구에게나 다정하고 적극적이어서 참 좋아하는 친구다. 그리고 그런 다희에게조차 쌀쌀맞게 구는 안혜영을 더욱 이해할 수 없다.

"다희는 엄청 적극적이네! 나랑도 같이 하자!"

말이 끝나기 무섭게 안혜영은 나와 다희를 쌩하고 지나쳐 교실을 나가버렸고 다희는 종종걸음으로 뒤쫓아갔다. 그런 우리를 흥미롭게 보고 있던 반 친구들을 의식한 나도 다희를 뒤쫓아 교실을 따라 나섰다가 우연히 그 둘의 대화를 엿듣게 되었다.

"표정이 안 좋길래 따라 나왔어. 무슨 일 있어?"

"..."

"괜찮아, 너 편할 때 말해줘. 음.. 말 안 해도 되구. 부담 갖지 말고 그냥 너 마음 가는 대로."

3분 정도 흐른 뒤였을까. 기다리다가 답답해서 교실로 가려던 참에 안혜영이 '어.. 사실..' 하며 입을 떼었다. 그러면서 하는 말이, 자기가 작년 겨울 방학에 양천구 그림 공모전에 나가 독학으로 준비한 그림으로 최우수상을 탔었는데 가족들이 이런 거나 그리지 말고 공부나 하라며 어떻게 이런 그림이 상을 받냐는 식의 막말을 퍼부으며 자기 그림을 찢어버렸다고 했다. 그림을 그린다는 것을 환영받지 못한다는 걸 두 눈으로 직접 보게 되니 큰 상처였다고 했다.

안혜영의 그림 솜씨는 우리 학교 학생 대부분이 알 정도로 뛰어나다. 그림에 대한 칭찬만 받아왔을 것 같던 안혜영은, 자신의 행복인 그림이 누군가에겐 불행일 수 있다는 것이 큰 충격이었던 것 같다. 그리고 난 그제야 안혜영을 조금은 이해할 수 있었다. 왜 그토록 '그림'에 예민했는지, 왜 사람들에게 마음을 쉽게 열지 않는 건지 말이다.

"정말 속상했겠다.. 응원받고 싶은 존재에게 큰 부정을 당한 거잖아. 나였어도 트라우마가 컸을 것 같아. 혼자 맘고생 심했겠다. 근데.. 그럼에도 여전히 그림이 좋은 거지?"

"응. 그래서 아까 조태용이 그림 얘기했을 때.. 사실은… 두근거리고 좋았어. 하고 싶었거든."

"정말? 그랬구나, 나도 내심 혜영이 네가 그림 그려주면 좋겠다고 생각했었는데! 아마 우리 반 모두가 그렇게 생각할걸? 교실이 훨씬 더 개성 넘치고 예뻐질 것 같아."

"정말이야..? 고마워."

"그리고 앞으로도 속상한 일 있으면 혼자 힘들어하지 말고 언제든지 말해줘. 좋은 일도 대환영! 아 참! 그러면 태용이한테 그림 그리고 싶다고 다시 얘기해 보는 게 좋을 것 같아"

"좋아 그래야겠다."

다희와 안혜영은 하하 웃으며 대화를 마저 이어갔다. 그때의 안혜영은 내가 지금까지 봐온 모습 중에 가장 밝고 편안해 보였다. 나도 모르게 안혜영을 신경 쓰고 있었던 걸까, 한결 좋아진 얼굴에 마음이 놓였다. 난 혹여 둘의 대화에 방해될까 숨 죽여 교실로 먼저 들어갔다.

"건우야 그냥 조태용한테 해달라 하고 나랑 축구하러 가자"

"그래도 되나? 미화 대회 때문에 쓰레기 많이 나왔던데"

"어 괜찮아, 나 조태용이랑 친한 거 알잖아. 걔 원래 그런 부탁 잘 들어줘"

익숙한 목소리다. 초등학교 3학년 때 같은 반이었던 이후로 3년째 단짝인 정지용. 닮기도 닮았지만 항상 붙어 다녀서 몇몇 친구들은 우리가 쌍둥이인 줄 알 정도다. 그런데 내 마음을 다 내어줄 정도로 가까운 지용이가 요샌 나를 만만하게 보는 것 같다.

"지용 하이! 어? 건우도 있구나! 건우야 빨리 와. 청소하자"

대화를 다 듣고 있었다고, 불쾌했다고 티 내고 싶었는데 분위기만 애매해질 것 같아서 아무것도 못 들은 척 태연하게 말을 걸었다.

"어 태용아! 건우가 오늘 바로 학원을 가야 한다는데 오늘 건우 몫까지 청소해 줄 수 있나?"

정지용의 태연함은 나보다 한 수 위였다. 별 거 아니라는 듯 가볍게 부탁하는 모습에 기가 찼다.

'와 진짜 뻔뻔하네. 그리고 그걸 왜 정지용 네가 대신 말하는 건

데? 당연히 안되지.'

라고 똑 부러지게 말하는 상상을 하며 순순히 알겠다고 대답했다. 더 웃긴 건 고개까지 격하게 끄덕이며 좋다고 해버렸다. 솔직히 해주기 싫었는데 특히 그런 뻔뻔한 태도엔 정말 해주기 싫었는데… 아니다, 차라리 잘 된 거다. 난 누구에게나 친절한 사람인 건 변함없으니까.

"태용아, 청소하느라 고생했어요. 어머? 근데 오늘 당번 태용이랑 건우 아니었나요? 건우는 어디 갔지?"

청소를 마치고 교실 열쇠를 반납하러 교무실에 갔다가 건우가 없다는 걸 단박에 눈치챈 지혜 선생님께서 물었을 땐 "건우는 급히 학원가야한대서 오늘은 저 혼자 했어요" 라고 말하는 수밖에 없었다. 거짓말인 걸 알면서도 수락한 건 나였으니까. 무엇보다 회장이나 돼서 담임 선생님께 반 친구를 고자질하고 싶진 않았다. 선생님은 혼자서 애썼다는 격려와 함께 작은 오렌지 주스를 내 손에 쥐어주셨다.

다 마신 주스 바닥을 그륵 그륵 빨아가며 집 근처 놀이터를 지나는데 놀이터 그네에 너무나 익숙한 뒷모습이 내 눈에 들어왔다.

"혜영!"

반갑게 부르고 나니 그제야 아차 싶었다. 아까 다희와의 대화를 들으며 혼자 내적 친밀감을 쌓았을 뿐, 그 이후로는 어떠한 교류도 없었기에 안혜영은 놀란 토끼눈으로 내 쪽을 바라보았다.

아는 척까지 해놓고 그대로 집에 가버리면 내일은 더 어색해질 것 같아서 당황하지 않은 척 자연스럽게 말을 걸었다.

"왜 여기 있어? 학교 끝난 지 한 시간은 지난 것 같은데.."

분명 오지랖이니 뭐니 하며 신경질 낼 것 같았지만 말문을 트기에 적당한 방법이 떠오르지 않아 용기 내어 건넨 말이었다.

"네가 무슨 상관인데?"

생판 남도 아니고 같은 반, 심지어 짝인 나한테 무슨 상관이냐니. 집에 가려던 내 발걸음을 다시 돌릴 정도로 그 말은 나에게 자극적이었다.

"야 안혜영. 넌 상대방 좀 생각하면서 말해라. 오늘 늘봄제 준비 때도 말이야, 이기적이게 무조건 너 위주로만 멋대로 하려 하잖아. 무슨 말만 해도 싫다고 해버리니 뭘 할 수도 없고. 분위기는 싸해지고. 좋아하는 게 있긴 해? 좀 솔직해져 봐."

정말 참고 또 참았는데 곱씹어지는 말에 눌러 담은 화가 터져 나왔다.

"그러는 너는? 너야말로 솔직해져 봐. 이미지 관리하느라 싫다고 말도 못 해, 멍청하게 다 좋다고 해놓고 버거워해. 겉으로만 좋은 척해서 뭐 해? 거짓된 네 맘 받는 상대방은 뭐 좋을 것 같아? 잘 보이려고 연기할 뿐이잖아. 그게 더 이기적이고 위선적인 거 아니야?"

"넌 무슨 말을 그렇게!"

"도대체 왜 그렇게 애쓰면서까지 사람들한테 잘 보이고 싶어 하는 거야? 싫으면 싫다고 말하는 게 무섭니? 그러니까 이용이나 당하지. 나 아까 다 들었어. 오늘도 너 이건우 청소 대신해 주다가 늦은 거잖아. 축구하겠다고 청소 빠진 것도 알면서. 그런데도 해주고 싶어서 한 게 맞아?"

너무 분했는데, 진짜 너무 분했는데 반박할 말이 없었다. 인정하고 싶지 않지만 사실이었다. 아니 어쩌면 스스로조차 알지 못했던 부분을 안혜영이 귀신같이 알아챘다는 느낌이 더 크다. 내 치부를 완전히 들킨 느낌.

큰맘 먹고 다가간 거였는데 또다시 서로 불쾌해지고 말았다. 그리고 이번 기회에 확실히 알았다. 우린 앞으로도 분명 서로를 절대 이해하지 못할 거란 걸.

등교가 이렇게 긴장되는 일이었나? 심호흡을 하며 교실에 들어섰다. 오늘은 또 얼마나 스트레스 받을지 벌써 머리가 지끈거린다.

당장 내일로 다가온 늘봄제 심사에 우리 반은 어느 때보다 분주해 보였다. 교실 꾸미기 날에 맞춰 다들 가방에서 각자 준비물을 꺼내고 있었다. 자리에 앉으며 힐끔 보니 안혜영도 가방에서 뭔가를 꺼내려는 눈치다. '글라스 데코'라고 쓰인 본드처럼 생긴 물건이었다.

"혜영, 좋은 아침이야! 어? 이거 글라스데코 아니야? 헐 그려서 유리창에 붙이게? 너무 좋은데?"

"맞아 다희야. 알록달록한 스테인드 글라스 느낌 낼 수 있으니까."

신나서 대화하는 것을 보니 아마도 어제 다희와의 대화가 혜영의 마음을 연 것 같다. 뿐만 아니라 가방 속엔 색연필, 색종이, 사인펜, 도화지 등 미술용품이 가득 차 있었고 가방 지퍼가 잠기지 않을 정도의 많은 양은 안혜영이 그림에 얼마나 진심인지를 짐작하게 해주었다.

"태용아! 혜영이가 그림 그렸으면 좋겠다고 했던 거 아직도 그렇게 생각해?"

갑작스러운 다희의 질문에 화들짝 놀라 얼떨결에 답했다.

"어? 어… 그러긴 하는데.."

"있잖아, 나 반 애들이랑 같이 그린 그림으로 우리 반을 꾸미고 싶어"

줄곧 혼자 하겠다던 안혜영이었는데 같이 하겠다니, 그림도 그리겠다니. 내 눈앞의 애는 정말 안혜영이 맞는 걸까. 뭘 잘못 먹었나 싶을 정도로 낯설게 느껴졌다.

"와 너 진짜 잘 그린다. 우리 반 1등 하겠는데?"

내가 잠시 교무실에 다녀오고 보니, 친구들이 웅성거리며 안혜영을 둘러싸고 있었다. 그림 그리기 싫다는 노걸은 어디로 가고 코에 땀도 송골송골 맺힌 채로 열심히 그림을 그리고 있다. 집에서 반 친구들과 함께할 수 있는 데코를 미리 생각해 온 건지 우리 반을 진두 지휘하며 순식간에 교실을 하나의 커다란 작품으로 만들었다. 얼마나 성공적이었냐면, 종례를 하러 들어온 지혜 선생님이 교실 푯말을 나가서 다시 확인하고 들어왔을 정도니까.

꽤 순조롭고 만족스러운 하루였다. 줄곧 늘봄제가 걱정이었는데 벌써 마무리 단계에 들어갔고 안혜영이랑 별 다른 문제도 없었다! 그렇게 뿌듯한 마음으로 교실 문을 나서는데 정지용이 나를 불러 세웠다.

"태용아!"

"어?"

"내가 오늘 준비물 살 시간이 없어서 그러는데 혹시 내일 리코더 좀 빌려줄 수 있냐?"

난 내일 음악 수업이 없어서 빌려주기야 할 순 있겠지만 이미 지난주에도 빌려갔던 정지용이기 때문에, 더군다나 직접 입을 대야 하는 건데 빌려주고 싶지 않았다. 싫다는 게 분명한 마음에도 자꾸만 거절을 망설였다.

그때 갑자기 머릿속에서 안혜영의 목소리가 메아리처럼 울려 퍼졌다.

'싫으면 싫다고 말하는 게 무섭니?'

처음엔 분명 '겁쟁아, 넌 거절도 못해?'라는 의미 같았는데 지금은 왠지 '거절이란 거 별거 아니야.' 라며 용기를 주는 것 같았다.

"침이 묻는 건데 빌려주긴 좀."

그래서 그런가 나도 모르게 진심을 내뱉을 수 있었다.

나의 첫 거절이라 어떤 결과가 생길지, 난 어떻게 해야 할지 안절부절못하고 있었는데 지용이의 반응은 뜻밖이었다.

"오 뭐냐? 예스보이가 거절을 다하네? 근데 나 불진 않고 그냥 갖고 있을 건데도 안 돼? 나 이번에도 안 가져가면 음악실 청소란 말이야. 응?"

정지용이 간절히 부탁하는 탓에 결과적으로 빌려주기로 했지만 그래도 거절을 해보았다는 게 내겐 너무 큰 도전이었다. 그런 내가 대견해서 학교를 나서는데 움찔움찔 웃음이 새어 나왔다.

하교를 하며 지나는 놀이터엔 오늘도 안혜영이 그네를 타고 있었다. 기분도 좋을세라, 함께 참여해 준 것에 고마움을 표현하고 싶어 조심스레 바로 옆 그네에 앉았다. '언제쯤 말하면 좋을까, 내가 온 건 알고 있을까.' 바닥만 멍하니 보고 있는 안혜영의 눈치를 보며 말할 타이밍을 보고 있었다.

"어제는 미안했어"

"어?"

전혀 예상하지 못한 전개였다. 천하의 안혜영이 사과를 하다니. 그것도 먼저! 너무 놀란 나머지 그네에서 미끄러지고 말았다.

"못되게 말해서 미안해. 나보고 그림 그리는 거 어떠냐고 물어봤을 때 실은 기뻤어. 그림에 대한 트라우마가 있긴 하지만 그럼에도 난 그림을 여전히 좋아하거든. 내가 솔직하지 못했던 건데.. 괜히 너 때문인 것처럼 쏘아붙이며 말해서 미안해."

"그랬구나, 나야말로 너의 사정을 잘 알지도 못하면서 상처 주는 말 해서 미안해. 나와 성향이 너무 다른 네가 어려웠어. 말로 잘 풀었어야 하는데 그렇게 폭발하 듯 말해서 당황했을 걸 알아. 미안해."

"괜찮아 이해해. 근데 난 왜 스스로의 불편함을 자처하면서까지 착하려 하는지, 싫으면 싫다고 말하지 못하는지 답답했어. 굳이 그렇게 애쓰지 않아도 넌 충분히 매력이 많은데 말이야."

안혜영의 진심이 듬뿍 묻은 말에 순간 울컥했다. 내가 남들에게 잘 보이려 노력하지 않아도, 날 맞추려 하지 않아도 그 자체로 매력적이라는 말. 내가 나를 사랑해도 된다고 말해주는 것 같았다.

"이해할 수 없던 너지만, 덕분에 좋다고 표현하는 방법을 배웠어."

"정말이야!?"

"응. 예스보이 조태용 앞이라면 좋다고 솔직하게 말해도 괜찮을 것 같았어. 그리고 좋다고 하는 거. 그거 너 전문이잖아. 이젠 어떻게 좋다고 표현해야 할 지 조금은 알 것 같아. 좋을 때 좋다고 용기 내 말하니 개운하기도 하면서 뿌듯하고 행복하더라. 고마워"

안혜영이 나에 대해 이런 마음을 가지고 있었는지 전혀 모르고 있었다. 고맙다는 말을 들으니 나도 안혜영에게 내 마음을 전하고 싶다는 생각이 불쑥 들었다.

"날 그렇게 좋게 생각하고 있었는지 몰랐는데 감동이네. 근데 나도야. 난 처음으로 싫다고 말해봤거든. 거절을 한 이후에 벌어질 상황이 너무 무서웠어. 싫다고 하면 날 떠나는 건 아닐까, 나에 대한 안 좋은 소문이 도는 건 아닐까 하고. 근데 막상 내가 생각했던 일은 일어나지 않더라."

"혹시 내가 도움이 됐던 걸까?"

"그럼! 이 사람 저 사람에 흔들리지 않고 주관이 확실한 네가 부러웠어. 싫을 때 싫다고 표현하는 것이 얼마나 멋지고 건강한 건지도 느꼈고 말이야. 사실은 너 말대로 이전엔 부탁을 들어주면서도 기분이 좋지 못했거든. 너에게 많이 배웠어 고마워."

"우리 서로 성장한 것 같아서 기쁘다. 앞으로 잘 지내보자."

이제껏 나와 안혜영은 하나부터 열까지 다른 서로를 받아들이지 못하고 증오했다. 그래서 평생토록 안혜영과는 친해질 수 없을 거라 확신했지만 이제는 그렇지 않다. 화해는 나와의 '다름'을 있는 그대로 받아들일 수 있게 해 주었다. 나에게 오늘은, 비로소 진정한 우리가 되었다고 느끼게 해 준 잊지 못할 소중한 기억이 되었다.

드디어 늘봄제의 발표날이다. 우승 발표 직전까지 우리 반은 발을 동동 구르며 애타게 기다렸다.

조회 시간 종이 크게 울리자 드디어 지혜 선생님이 입을 열었다.

"10반 1등!!! 여러분 축하해요~!!"

'1등이다!'

지혜 선생님은 1등과 2등이 매우 쟁쟁했는데 우리 반이 함께 그린 그림에서 친구들과의 단합이 더 잘 느껴져 가산점을 받아 1등을 하게 되었다고 하셨다.

난 그제야 안도의 한숨을 내쉴 수 있었다. 그때 안혜영이 하이파이브 하자며 나에게 손을 뻗었다.

'짝!'

맑고 명쾌한 소리가 교실을 퍼질 정도로 완벽한 하이파이브였다.

숲 속을 찾아온 4계절

우소현

우소현 그림책 감정 코칭을 통해 더 나은 세상을 꿈꾸는 웜하트 북코칭 대표

인스타그램 : @웜하트북코칭

옛날 아주 깊은 산속에 숲이 하나 있었다.

그 숲은 어찌나 아름다운지 햇살은 보석처럼 반짝거렸고 싱그러운 초록 잎으로 사방이 가득 차 있었다. 몸통이 두껍고 잎이 무성한 나무가 문지기를 맡으며 숲 속의 입구를 지키고 있었다. 튼튼한 문지기를 지나 몇 걸음 가다 보면 허리춤까지 오는 아름다운 꽃들이 흔들리는 바람에 몸을 싣고 인사를 하며 반겨 주었다. 꽃의 환영을 받으며 몇 걸음 더 숲 속을 걸어가다 보면 동물 친구들이 살고 있는 숲 속 마을에 도착하게 된다. 이 숲은 아름답다고 여기저기 소문이 나기 시작했다. 이 소문을 들은 봄, 여름, 가을, 겨울이 숲 속에 놀러 가기로 결심을 했다.

가장 먼저 푸릇한 봄이 숲 속을 방문했다. 문지기 나무는 자신의 가지를 흔들며 온몸으로 봄을 환영했다. 숲 속의 가수인 새들도 있는 힘껏 목청을 높여 함께 봄을 환영했다. 봄은 문지기 나무와 새들의 환대를 받으며 숲 속 마을로 들어갔다.

조금 걷다 보니 아름다운 꽃들이 모여 사는 꽃동네 주민들을 만날 수 있었다.

"안녕 꽃들아! 나는 봄이야!"

봄은 활기찬 목소리로 환한 미소를 지으며 자신을 소개했다. 봄을 마주한 꽃들은 차갑고 퉁명스러운 목소리로 대답했다..

"네가 봄이니? 우리는 봄이 정말 싫어! "

"모두 나를 좋아하는 게 아니었구나..."
봄이 시무룩한 목소리로 중얼거렸다.

봄은 들뜬 마음으로 숲 속을 방문했지만 모진 소리를 들어 무척이나 속상해했다. 숲 속의 모든 친구들이 자신을 반겨 주리라고 생각했기 때문이다. 봄은 꽃들이 자신을 왜 싫어하는지 그 마음을 알고 싶었다.

"왜 봄이 싫니?"
떨리는 목소리로 봄이 조심스레 물었다.

"왜냐하면 봄이 오면 눈이 녹아서 물이 너무 많이 흘러내려. 바람은 또 얼마나 세게 부는지 내가 어렵고 힘들게 틔운 꽃잎이 날아가 버리고 만다고! 그뿐인 줄 알아? 새들은 자기들만 있는 것 마냥 시끄럽게 노래하고, 벌들은 나를 마구 쏘아대고 내게서 가장 맛있는 꿀을 빼앗아 간단 말이야!"

꽃이 울먹이듯이 말했다.

그래서 꽃들은 봄이 오면 숲 속의 집에 들어가서 문을 닫고, 창문을 가리고, 귀를 막고, 눈을 감고, 잠을 자거나 책을 읽거나 퍼즐을 맞추거나 했다. 꽃들은 그저 봄이 빨리 지나가기를 바랐다.

꽃과 친구가 되고 싶었던 봄은 마음이 아팠다. 봄은 다시 계절 친구들에게로 돌아가서 자신이 숲 속에서 겪은 이야기를 들려주었다.

그러던 어느 날, 숲 속 입구에 노크 소리가 들렸다. 문지기 나무는 누가 온 것일까 궁금해했다. 그가 문을 열어보니, 뜨거운 여름이 서 있었다. 너무 뜨거워서 숨이 턱턱 막혔지만 문지기는 여름이 반가웠다. 자신의 잎을 흔들며 온몸으로 여름을 환영했다. 숲 속의 가수인 새들도 있는 힘껏 목청을 높여 함께 여름을 환영했다. 여름은 문지기나무와 새들의 환대를 받으며 숲 속으로 들어갔다.

길을 따라 걷다 보니 꽃마을에 사는 오색빛깔의 꽃들을 만나게 되었다. 그러다가 여름은 보라색 꽃을 만나게 되었다. 꽃은 여름을 보고 반가워하며 자신의 몸을 활짝 피며 환영했다.

"안녕 꽃들아! 나는 여름이야!"
여름은 활기차게 웃으며 자신을 소개했다.

꽃은 여름이라는 이름이 멋있다고 칭찬했다. 여름도 꽃의 이름을 알고 싶어 했다. 꽃은 자신의 이름이 초롱꽃이라고 말해주었다. 여름은 초롱꽃이라는 이름이 귀엽다고 칭찬했다.

꽃은 여름과 함께 숲 속에서 햇볕이 따뜻하고, 바람이 시원하고, 과일이 맛있는 곳을 찾았다. 그는 그곳에서 여름과 함께 즐겁게 먹고 마시고 쉬었다.

초롱꽃은 자신의 친구들에게 여름을 소개해주기로 했다. 그래서 여름은 초롱꽃을 따라갔다.

문지기 나무를 지나 꽃마을을 지나 다람쥐가 살고 있는 마을에 도착했다.

여름이 먼저 용기를 내어 말을 건넸다.
"안녕! 나는 여름이야."

여름을 본 다람쥐가 대답했다.

단호한 목소리로 대답했다.

"난 여름이 정말 싫어!"

속상하고 놀란 여름이 중얼거렸다.
"모두 나를 좋아하는 게 아니었구나..."

작은 목소리로 여름이 조심스레 물었다.
"왜 여름이 싫니?"

다람쥐는 화내듯 말했다.
"왜냐하면 여름이 오면 태양이 너무 뜨겁잖아. 공기는 습하고, 또 모기는 얼마나 많다고! 불이 붙기 쉽고, 물도 적어지기 때문이야.

그래서 다람쥐들은 여름이 오면 숲 속의 집에 들어가서 에어컨을 틀고, 선풍기를 돌리고, 모기장을 치고, 소화기를 준비하고, 물통을 채우고, 아이스크림을 먹거나 영화를 보거나 게임을 하거나 했다. 다람쥐들은 여름이 빨리 지나가기를 바랐다.

다람쥐와 친구가 되고 싶었던 여름은 무척 속상했다.
여름은 봄, 가을, 겨울 친구들을 만나 자신이 겪은 이야기를 들려주다.

서늘한 바람이 불던 어느 날, 숲 속의 입구에 노크 소리가 들렸다. 문지기 나무는 누가 온 것일까 궁금해했다. 그가 문을 열어보니, 가을이 서 있었다. 가을은 부드러운 미소를 띠고 있었다. 문지기 나무는 자신의 잎의 색을 갈색으로 만들며 온몸으로 가을을 환영했다. 숲 속의 가수인 새들도 있는 힘껏 목청을 높여 함께 가을을 환영했다. 가을은 문지기나무와 새들의 환대를 받으며 숲 속으로 들어갔다. 길을 따라 걷다 보니 부지런히 먹이를 모으는 다람쥐 마을에 도착할 수 있었다.

"우리 마을에서 제일 맛있는 도토리예요."

다람쥐들은 자신이 그동안 열심히 모은 도토리중 가장 잘 익고 맛있는 것을 가을에게 내어주었다.

"정말 고마워요~"

가을은 다람쥐들의 마음에 감동을 받아 숲 속을 형형색색으로 물들여주었다. 다람쥐는 자신의 친구들에게 가을을 소개해주기로 했다. 가을은 다람쥐를 따라 구불구불한 길을 따라갔다. 조금 걷다 보니 길 끝에 너구리들이 사는 마을에 도착했다.

"안녕~! 난 가을이야"

부드러운 목소리로 가을이 말했다.

"어휴, 가을이군! 난 가을이 정말 싫어"

너구리들은 한숨을 쉬며 말했다.

"모두 나를 좋아하는 게 아니었구나..."

속상하고 놀란 가을이 중얼거렸다.

"왜 가을이 싫니?"

작은 소리로 가을이 조심스레 물었다.

"왜냐하면 가을이 오면 나뭇잎이 떨어지고, 과일이 썩고, 산사태가 일어나고, 추위가 오고, 하늘이 흐리고, 비가 오기 때문이야!"

너구리는 숨을 한 번에 몰아쉬며 말했다.

그래서 너구리들은 가을이 오면 숲 속의 집에 들어가서 난로를 틀고, 담요를 덮고, 콘센트를 뽑고, 과일을 건조하고, 차를 마시거나 쿠키를 구워먹거나 노래를 부르며 가을이 빨리 지나가기를 바랐다.

가을은 계절 친구들에게 돌아가 자신이 겪은 이야기를 들려주다.

너구리와 친구가 되고 싶었던 가을은 무척 속상했다.

새 하얀 눈이 내리던 어느 날, 숲 속 입구에 노크 소리가 들렸다. 문지기 나무는 누가 온 것일까 궁금해했다. 그가 문을 열어보니, 귀여운 눈사람을 만들며 겨울이 서있었다. 너무 추워서 몸이 오들오들 떨렸지만 문지기는 겨울이 반가웠다. 자신의 앙상한 가지를 흔들며 겨울을 환영했다. 숲 속의 가수인 새들도 있는 힘껏 목청을 높여 함께 겨울을 환영했다. 겨울은 문지기나무와 새들의 환대를 받으며 숲 속으로 들어갔다. 길을 따라 걷다 보니 너구리 마을에 도착했다.

너구리들은 가을과 겨울이 오면 조용히 쉬고 준비하고 견뎌냈다. 너구리와 소나무는 가을과 겨울이 오면 항상 함께 있었다. 너구리는 소나무의 밑에 깊은 굴을 파서 잠들었고, 소나무는 너구리를 따뜻하게 감싸주었다. 그들은 가을과 겨울이 가장 좋은 계절이라고 생각했다.

겨울과 너구리는 눈싸움을 하며 시간 가는 줄 모르고 함께 재미있는 시간을 보냈다. 너구리는 자신의 친구들에게 겨울을 소개해주기로 했다. 그래서 겨울은 너구리를 따라 곰들이 사는 마을로 향했다.

"안녕? 나는 겨울이야."
새로운 친구를 사귈 생각에 설렌 겨울이 말했다.

"난 겨울이 정말 싫어!"
곰이 고개를 좌우로 저으며 말했다.

"모두 나를 좋아하는 게 아니었구나…"
속상하고 놀란 겨울이 중얼거렸다.

"왜 겨울이 싫니?"
작은 소리로 겨울이 조심스레 물었다.

"왜냐하면 겨울이 오면 눈이 내리고, 얼음이 얼고, 또 바람은 얼마나 차가운지 나갈 수가 없어! 무엇보다도 내가 먹을거리가 사라진다고!"
곰이 말했다.

그래서 곰들은 겨울이 오면 숲 속의 집에 들어가서 난로를 틀고, 담요를 덮고, 음식을 저장하고, 문을 잠그고, 책을 읽거나 장난감을 만들거나 했다. 곰들은 겨울이 빨리 지나가기를 바랐다.

겨울은 봄, 여름, 가을 친구들을 만나 자신이 겪은 이야기를 들려주었다.
곰과 친구가 되고 싶었던 겨울은 무척 속상했다.

문지기 나무와 새들처럼 사계절을 좋아하는 동물과 식물도 있었다. 하지만 모든 숲 속의 동물과 식물들이 사계절을 모두 좋아하는 것은 아니었다. 봄, 여름, 가을, 겨울 친구들은 어떻게 하면 동물과 식물 친구들과 친해질 수 있을까 고민이 되었다.

그러던 어느 날, 숲을 파괴하려는 사람들이 나타났다. 동물을 잡아서 사육하려는 사냥꾼 무리들이 줄지어 숲을 찾았다. 뒤이어 숲 속의 꽃을 따서 꽃다발을 만들려는 채집가와 숲 속의 나무를 잘라 가구를 만드는 목수들도 숲으로 몰려들었다.

위이잉 하며 나무들이 잘려 나가고 꽃들은 작별 인사도 못한 채 채집가의 손에 붙들렸다. 탕탕탕하며 동물들을 잡아대는 사냥꾼들의 소리도 멈추지 않았다.

"이러다가 우리 숲이 모두 없어지고 말 거야!"

숲 속의 동물과 식물들은 사람들의 공격에 맞서기 위해 어떻게 할 것인지 긴급한 회의가 열렸다.

"사계절 친구들에게 도움을 요청해 봅시다."

지혜로운 문지기 나무가 말했다.

새들은 이 소식을 서둘러 봄, 여름, 가을, 겨울에게 전했다. 이 소식을 들은 사계절 친구들은 숲 속으로 한걸음에 달려와 숲 속 친구들의 부탁을 들어주었다.

봄은 사람들의 눈을 가리기 위해 꽃가루를 흩뿌렸다.

"꽃가루가 너무 많이 날려서 눈을 뜨지 못하겠네!"

꽃을 꺾던 채집가 들이 말했다.

여름은 햇빛을 쨍쨍하게 비추어서 덥게 만들어 사람들이 일하지 못하도록 했다.

"너무 더워서 나무를 벨 수가 없겠어.

나무에 도끼질을 하던 목수가 멈추어 서서 말했다.

가을은 사람들의 발을 걸리게 하기 위해 잎사귀를 날렸다.

"여기서부터는 나뭇잎이 너무 많아서 걸어갈 수가 없겠어!"

오르막길을 오르던 사냥꾼이 말했다.

겨울은 사람들의 길을 막기 위해 눈 벽을 쌓았다.

"너무 추워서 아무것도 할 수가 없겠어!"

사람들이 입을 모아 말했다.

사계절은 숲 속의 동물과 식물들과 함께 쉬지 않고 싸웠다. 사냥꾼, 채집가, 목수들은 사계절의 공격에 견디지 못했다. 그들은 이 숲은 일하기 좋은 숲이 아니라며 투덜거렸다.

"이 숲에서는 일하기가 쉽지 않겠어. 다른 숲을 찾아봅시다."

그들은 숲을 떠나기로 했다.

숲 속의 동물과 식물들은 사계절에게 감사했다. 그들은 그 제서야 사계절의 특징을 알아보았다. 새 생명이 피어오르는 봄, 푸릇푸릇 익어가게 하는 여름, 시원한 가을과 봄, 여름, 가을의 소중함을 알게 하는 겨울까지. 숲 속의 동물과 식물들은 각 계절만의 장점을 발견하고 사계절을 좋아하는 친구가 되었다.

친구야! 화성 가자!

김나리

김나리

어린 시절이 기억이 잘 나지 않아 딸기와 바나나를 먹으며 과거를 기억해 내려고 애쓰는 중.

과거 행복은 없지만 현재, 지금 나만의 행복레시피로 직접 만들어서 미래의 행복을 저축하며 살아가는 중.

나만의 별을 찾아서 이것저것 해보는 예술하는 행정가. 기획자로 살아가는 중입니다.

인스타그램 : @kim_nari_1010

뭔가 내게로 달려들었다. 회색과 검은색이 섞인 꼬불거리는 털을 두른 생명체가. 무섭지는 않았는데 당황스러웠다. 약간의 놀람과 섬뜩함에 온몸이 찌릿거렸다.

으... 아.. 악.. 이 축축함은 뭐지?

눈이 번쩍 떠지고 나는 내 침대에 누워있는 상태로 얼음상태처럼 딱딱하게 굳어버렸다.

아.. 꿈이었구나..

"하이하이! 오늘은 2054년 1월 26일 월요일 오전 8시 38분입니다.

9시부터 수업이 진행되니 서둘러 수업준비를 하셔야 합니다. 나정님은 오늘 발표수업도 있습니다. 첫 번째 수업은 버그퇴치 기본 훈련입니다. 서둘러 준비하세요!"

인간의 모습을 한 로봇 우리 집 IOT 아리의 소리가 나의 굳어진 몸을 깨우고 그제야 나는 힘겹게 침대에서 일어날 수 있었다.

아리는 머리가 빨간색으로 삐죽 박혀있으며, 노란색 머플러를 한

옷을 입고 걷기와 팔 동작등 움직임이 자유롭다. 내 앞으로 다가오고 있다. 난 어제 꾼 꿈에서 난투극을 벌인 것 같이 온몸이 무거웠다.

"아리! 나 꿈에서 나만큼 큰 생명체가 멍! 하면서 나한테 막 달려들었어~! 이게 저번에 엄마가 말하던 그.. 동... 물이야? 맞지?"

"동물은 과거 25년 전까지 지구에 생존 가능한 생물체였으나 현재 지구 탄소배출량이 급격히 증가하면서 스스로 쉴드를 입지 못하는 동물은 지구에서 살아갈 수가 없게 되고, 현재 지구에서는 동물 케어가 가능한 여유가 되는 몇몇의 가구에서만 키울 수 있는 것으로 조사됩니다.

나정님이 살고 있는 이 장소의 주변에서는 동물을 찾기 힘든 것으로 파악됩니다."

그래 동물.. 근데 수업하면서 과거 40년 전 영상을 보았던 기억이 난다.

4개의 발로 낮은 자세로 이동하며, 사람처럼 대화하는게 아닌, 동물마다 다른 소리를 낸다고 들었다.

"아리! 동물 중에서 내가 본 동물 종이 뭐지?"

수업에 참여하기 위해 모니터 앞으로 움직이면서도 내뱉는 말들은 온통 어젯밤 꿈 이야기로만 아리에게 떠들어 되고 있다.

오랜만에 꾼 어젯밤 꿈이 너무 생생하기도 했지만 그 동물의 표정을 잊을 수 없었다.

검정 동그란 눈동자가 꼭 사람눈과 너무 닮았다고 해야 하나? 우리 집 아리는 눈동자에 그런 생기는 없어서 표정이 항상 차갑다고 느껴지는데.. 암튼 뭐..어쩔 수 없이 모니터 앞에 서서 내 얼굴로 생체 출석을 한 다음. 수업방으로 입장했지만. 지금도 난 자꾸 어젯밤 동물이 아른거린다.

그래서 모니터 오른쪽 아래에 메모장을 오픈하고 펜으로 어제 만났던 동물을 그려보았다.

가상세계수업이라 모니터 안쪽에서 중얼중얼 소리가 계속 나왔지만.. 오늘은 수업에 집중할 수가 없었다.

'털은 꼬불꼬불하고 주둥이가 이렇게 튀어나왔는데.'.

검은색과 회색이 섞인 털 때문인지 눈썹이 흰색이라서 동물임에도 우리 할아버지처럼 생겼다고 해야 하나? 대충 모니터에다가 그려본다.

옆에 아리가 내 옆에 오더니

"동물 중에서 개과에 속하는 슈나우져로 판단됩니다."

슈나우져?

아 엄마가 어렸을 때 강아지를 키웠다고 들었다. 이 슈나우져도 강아지인가?

"아리! 강아지영상 보여줘~! 엄마가 어렸을 때 키웠다는 강아지!"

"수미님의 과거 반려동물 영상은 요청으로 인해 삭제되었습니다. 자 나정님. 수업에 집중하세요!"

엄마는 왜 강아지영상을 삭제했지?

수업에 집중하려고 했지만 내 머릿속은 아직까지 어젯밤 꿈속에 나온 강아지 모습이 지워지지 않는다. 나는 그림을 계속 끄적이면서,

"슈나우져는 어떤 동물이야? 아리?"

"제가 지식칩에는 2031년 헬멧상용화 이전까지 반려동물로 생존했던 품종 '슈나우저' 는 체중은 6~7kg 정도로 활동적이고 건강해 보이며 행동이 민첩합니다. 공격적이거나 겁이 많은 것과는 거리가 먼 대신에, 성격이 명랑하고 사교적이라 주인에게 사랑을 많이 받으며. 주인에게 충성심을 보이고 장난치는 것을 좋아한다고 저장되어 있습니다."

이때, 멀리서 희미하게 어떤 소리가 들린다.

"아리! 지금 무슨 소리 나지 않았어?"

이거 어제 꿈에서 들었던 소리랑 같은 거다!

대박. 꿈이 아이였나? 진짜 강아지가 내 근처에... 아니 아직 이곳 지구에서 살아가는 게 맞나 봐! 진짜인지 내 눈으로 확인하고 싶었다.

"나정님 아까 말씀드렸다시피 인근 2km 에는 반려동물을 키우

는 가구가 없습니다."

아니야! 분명 강아지 소리야! 내가 어제 꿈속에서 들었던 소리가 분명해.

난 모니터 앞에서 일어나 외출 쉴드를 찾아서 옷장을 열었다.

"오늘은 외부로 외출이 금지되어있습니다. 10세 이하 어린이는 쉴드를 착용하더라도 탄소포집도는 높아서 불가하다는 발표입니다. 오늘 수미님도 회사 출근하시면서 나정님은 절대로 밖에 외출 금지라고 말씀하셨습니다."

또다시 소리가 들린다. 내가 잘못 들은 게 아니다. 분명히 들린다.

난 아리의 말을 귀뚱으로 들으면서 쉴드를 착용하고, 헬멧을 찾아 위칸 서랍을 열기 위해 뒤꿈치를 들었다. 손이 분명히 닿을 것 같았다.

"현재 이산화탄소와 스모그농도, 자외선 지수 등 모든 대기 상태를 취합한 결과 화상, 질식, 모래비람에 의한 시력과 청력저하, 폐활량 감소 등이 일어날 수 있습니다."

이때 손 끝에 헬멧이 잡혔고 난 힘차게 당겨 잡았다.

"나정님 지금은 수업에 집중하시기 바랍니다."

"아니, 진짜 들린단 말이야. 밖에 있는 강아지도 모래바람에 질식할 수 있잖아."

어제 꿈에 나온 강아지가 살려달라고 나온 게 아닐까? 밖에 진짜 강아지가 있다면 쉴드옷을 입고 있는 것일까? 주인이 버린 강아지가 밖에 모래바람에 떠돌다가 이곳까지 온 게 아닐까?

불현듯 엄마, 아빠 없이 혼자 외출은 처음이라 걱정이 들기도 했다.

"아리! 나 대신 네가 나가는 건? 넌 생명체가 아니니까 모래바람에도 이산화탄소에도 문제없잖아!"

"저는 이 집안에서만 실행하는 IOT이며 이 공간 구독료로 전원이 켜집니다. 밖으로 나가면 저의 전원은 꺼집니다."

나는 나의 10년 인생에서 중대한 결정을 할 때라고 생각했다. 난 쉴드 밖을 혼자서 나가본 적이 없어서 헬멧을 쓰기 전 잠깐의 용기가 필요했다.

이때 수업 중인 모니터 안쪽 가상세계 선생님 목소리가 들린다.

"나정 학생! 지금 발표를 해야 합니다.!"

나는 방 한가운데, 몸 방향은 입구를 향해, 얼굴은 반대쪽 모니터를 향해 서있다.

-지금 난 밖에 있는 강아지를 구하고 싶어!

손에 들고 있는 헬멧을 착용했다.

밖에 나가서 길을 찾을 수 도 없겠지만 소리 나는 방향으로 가보고 오는 길은 반대로 잊어버리지 않고 오면 될 것이라 생각한다. 지금 외부날씨가 외출 못하는 상황이라면, 지금 밖에 있는 강아지는 나보다도 더 작은 동물일 텐데.. 하는 생각이 나의 의지를 꺾지는 못했다.

"나 갔다 올게!"

20cm 두께가 되는 현관문을 잡아당겼다.

-문이 열립니다. 출입구 개방용 탄소포집 시스템을 가동합니다.-

밖에 나가자마자 모래 바람이 앞을 못 볼 정도로 휘몰아쳤다. 난 헬멧을 착용해서 시야가 잘 안 보이는 것 말고는 이 매서운 모래바람이 나를 헤치지는 못했다.

-멍!-

어느 쪽이지? 오른쪽인 거 같기도 하고.. 왼쪽인가?

우선... 그래 오른쪽으로 가보자. 나를 믿어봐야겠다.

모래바람보다 더 힘들게 하는 건 매섭고 차가운 바람이다. 내가 한발 한발 힘들게 움직일 때마다 나는 자칫하다가는 날아갈 수 있겠다 생각이 들었다. 그래서 10세 이하 어린이는 외출 금지였나? 칫! 나도 어른이야! 나도 걸어갈 수 있다고!

난 다시 마음가짐을 다잡고 헬멧 안에서 심호흡을 쉬고 다시 걸어본다.

-으차으차

숨이 가빴지만 이 정도는 참을만 했다. 그렇게 10분 정도 힘겼게 한발 한발 내딛었고, 내 눈 앞에 축쳐저서 엎드려있는 움직이는 무언가 있었다...

어?.... 어제 꿈에서 본 그... 강아지이다!!

근데 어제 꿈에서 보던 강아지보다 힘이 없이, 강아지 쉴드와 강아지용 입마개를 착용한 상태로 축 늘어져서 옆에 쇠기둥에 묶여있었다. 여긴 무슨 마켓 같은데?

근데 문은 굳게 닫혀 있고 간판의 불도 꺼져있었고 문짝의 쉴드에 크게 금이 가있는 것으로 보아 여기 안에는 아무도 살지 않은 것처럼 보였다.

그럼 이 강아지는 누가 묶어 놓은 거지? 묶여 있는 강아지의 눈이 너무 촉촉했다.

"저기요! 아무도 안 계세요?"

메아리소리 마냥 바람에 내 소리만 퍼질 뿐. 아무 기척도 들리지 않았다.

신기한 건 이 강아지는 입마개를 해서 짖을 수가 없었고, 이미 기력이 다해 축 쳐져 있는 게 곧 죽을 것만 같았다. 이 강아지가 소리를 내지 않았는데 난 어떻게 들은 거지?

암튼 버려진게 분명해. 주변에 아무것도 없어... 그럼..

-내가 데려가야겠다!'

난 내 몸뚱이에 절반 만한 이 강아지를 들어서 안았다.

다시 집으로 갈 생각에 순간 멈칫 하긴 했지만 이 강아지가 밖에서 버려졌다는 게 그냥 지나칠 수 없었다. 왔던 방향으로 내 몸을 돌려서 한 발짝 움직였다.

확실히 이 강아지를 안고 이 모래바람을 뚫고 걸어가는 건 쉽지 않았다.

그래도 나 소리를 들었고, 소리를 따라 여기까지 왔는데. 또 이 강아지를 무시하는 건

있을 수 없다 생각했다.

난 축 쳐진 강아지를 끌어안고 날아갈 것 같은 바람을 뚫고 집으로 가고 있다. 집에 돌아가는 길은 더 멀게 느껴졌다. 몸이 무거워져서 그런가.. 한 30분쯤 걸어갔을 때 우리 집이 보이기 시작했다. 낡고 저층 아파트에 겉에 쉴드는 오래되었지만 그래도 모래바람을 이겨내는 집.

짧지만 고단했던 외출이 집이 무척이나 그리웠던 거 같다.

비밀번호를 누르고 두꺼운 철문을 열어 엘리베이터를 타고 집으로 올라갔다.

-문이 열립니다. 출입구 개방용 탄소포집 시스템을 가동합니다.-

집에는 아리가 홀로 나를 반겨주었다.

“나정님 인생에서 외출시간이 1시간 8분으로 최장시간을 기록하셨습니다”

“맞아 내 10살 인생 처음이야 혼자서 밖에 이렇게 오랜 시간 다녀온 게...”

근데 몸속에서 이 뜨거운 건 뭐지? 땀은 아닌데.. 후끈 달아오르고, 강아지를 집안 바닥에 내려놓는 순간 내 몸도 힘이 빠져 털썩 주저앉아 버렸다. 쉴드를 벗을 힘조차 없었지만 힘겹게 벗어내는 순간 내 오른쪽 다리 쉴드에 구멍이 나서 다리에 상처가 나있는 것을 확인할 수 있었다. 걸으면서 안고 있는 강아지를 보느라, 또 날아가지 않으려고 온몸에 힘주며 걷느라 쉴드에 구멍 난지도 몰랐다. 상처가 이제야 아려오기 시작한다.

“아리 나 구급약 좀 부탁해.. 그리고 나 지금 너무 에너지를 쏟았

나 봐.. 나랑 이 강아지랑 먹을 것 좀 갔다줘"

항상 그렇듯 엄마 아빠 없는 빈자리를 채워주는 아리가 내 다리에 약을 발라주고 에너지 충전할 2번 파우치도 가져다주었다.

난 3번 딸기 맛이 좋은데... 2번 사과맛은 너무 많이 먹어 질렸다고 해야 하나..

하지만 아침부터 힘들게 외출을 하고 내 상태엔 지금 가릴 때가 아니니 2번 파우치를 쭉 빨아먹었다. 강아지에게도 입마개를 풀어주고 사과파우치를 그릇에 담아주었다. 처음엔 관심 없더니 냄새를 맡아보곤 힘을 내서 홀짝홀짝 먹기 시작했다.

강아지와 내가 파우치로 에너지를 채우고 있을 때 아리를 통해 엄마에게서 영상통화가 왔다.

"나정아! 어디 혼자서 밖에 나갔다 왔어! 위험하게!!"

"엄마!"

나도 모르게 눈물이 흘렀다.

이건 슬퍼서가 아니라 나의 뜨끈해진 몸 열기에서 그냥 흘러나오는 것이었다.

"나 괜찮아! 근데 친구를 한 명 데려왔어"

"지금 엄마가 정신없으니 이따 집에가서 이야기하자. 집에 가만히 있어."

아리를 통한 화면으로 이 강아지를 비춰주려고 하는데 엄마가 먼저 영상통화를 끊었다.

분명히 난 이야기하려고 했다. 강아지를 키운다는 건 쉴드 추가

부터 구독료도 올려야 하고, 엄마 아빠는 지금보다 더 일해야겠지? 그래도 이 강아지가 여기서 살게 하고싶다. 아니 살아 가게 하고 싶다! 엄마랑 아빠랑 집에 돌아오기까지 5시간 정도 남았으니 그전까지 방안을 생각해 봐야겠다.

그때 강아지가 낑낑 데더니 그 자리에서 빙글빙글 돌기 시작한다.

난 강아지의 등을 쓰다듬어 주며 강아지쉴드 옷도 벗겨주었다.

그래도 쉴드를 입고 있어서 인지 작은 상처 몇 군데 말고는 커다란 상처는 찾아볼 수 없었다.

아니면 버려진 지 얼마 안 된 거였나? 다행이다. 겉으로는 상처가 많이 보이지 않아서...

빙글 돌던 강아지는 아까 먹여주던 2번 파우치를 토해냈다.

이런... 속 이 많이 안 좋은 건가?

"아리 이 강아지 왜 이러는 걸까?"

"저는 동물에 대한, 특히 반려동물에 대한 지식 칩이 삽입되어있지 않아 설명이 불가합니다."

엄마는 어렸을 때 강아지 키워보셨다고 했으니 이유를 알고 있지 않을까?

그때, 삐요삐요 사이렌 소리와 함께 문을 두드리는 소리가 났다.

"탄소배출조사원입니다. 문 열어주세요!"

"지금은 어른이 한 명도 없는데요?"

"부모님과 통화하였습니다. 따님이 있으니 IOT 영상 키고 방문

하는걸로요. 가구조사라 현장만 보면 됩니다."

아리가 엄마와 통신을 하더니 문을 열어준다. 꽤 고급진 검은색 쉴드를 착용한 조사원이 들어왔다.

"여기 1029호는 성인 2, 아이 1명 이렇게 나와있는데요... 여기 이 강아지는 명단에 없는데

어떻게 된 거죠?"

조사원은 엄마와 통신을 주고받더니 아리를 통해 영상으로 강아지를 보여주더니 심각한 표정으로 한 동안 엄마와 영상으로 통화하다가, 이곳저곳 통화하였다.

말투나 표정으로 보았을 때 이 강아지에 대한 문제가 깨나 심각하다는 걸 알 수 있었다.

한 오분쯤 지났을까.. 강아지는 눈치를 보듯 내 옆으로 와서 기대어 내 다리를 비빈다.

"우선 지금 이 상황에 대해서 부모님은 모르셨다고 하는데, 지금 이 아파트 CCTV를 확인 중에 있으며 오늘 이 강아지가 동거견으로 오늘부터 추가가 된다면 구독료 측정이 달라짐에...

아... 제가 이 내용에 대해 부모님과 다시 확인해 볼게요!"

그러더니 급히 우리 집을 나갔다.

아리의 신호로 엄마의 영상통화가 연결되었다.

"아까 말하려고 했는데 엄마가 먼저 끊었잖아."

"나정아 지금 이게 무슨 일이니? 강아지는 어디서 데려온 거야?"

"당장 원래 있던데 데려다 놔"

아니 또 이 강아지를 버리라는 건가? 말도 안 돼.

난 엄마가 이 문제를 함께 해결해 줄 거라고 믿었다. 내 꿈 이야기도 하면 이해해 줄 거라고 마음속 깊이 믿음이 있었던 거 같다. 또다시 온몸이 뜨거워지는 걸 느낀다.

"싫어"

이번엔 내가 먼저 영상통화를 끊었다. 엄마가 집에 돌아오면 난리가 나겠지만, 그래도 그때는 내 말을 들어줄지도 모르니.. 지금은 어떻게 이 문제를 해결할지 고민하는 게 먼저였다.

"나정님 지금 신체온도가 38도를 넘었습니다. 외출로 인한 이산화탄소 감염으로 보입니다.

빨리 수미 님께 연락하겠습니다."

눈이 저절로 감긴 건지 갑자기 모든 것이 검은색이다.

어젯밤 꿈에 나오던 강아지가 내 앞에. 나를 향에 달려들고 있다.

어제와는 다르게 겁이 나는 게 아니라 반가웠다. 그리고 이 강아지. 오늘 내가 안고 온 녀석이었다. 네가 나를 찾아온 거였구나. 도와달라고..

어제와 같은 꿈인데 따뜻했다.

그리고 눈을 떴는데.. 방안 내 침대 위였다.

노란색 팩이 내 팔뚝을 지르는 바늘을 꽂은 채 수혈 중이였고 왼쪽으로 고개를 돌리니 엄마랑 아빠랑 내 손을 잡고 앉아있었다. 난 5시간 동안 잠을 잤다고 한다.

다행히 그 옆에 강아지와 아리도 나를 바라보고 있었다.

-휴 다행이다. 강아지가 아직 내 옆에 있어서..

"나정아. 정신이 드니?"

엄마는 나에게 잔소리를 하지 않았다. 가만히 내 얼굴만 보고 아련하게 바라봐 주실 뿐이었다. 아리한테 내 상태를 물어보니, 이산화탄소 감염으로 무리한 외출로 인해 모래바람을 거칠게 맞았던 것과 오른쪽 다리의 상처가 10세인 나에게는 치명적인 감염 원인이라고 했다.

목숨에 당장 위험하진 않지만 면역력 증가를 위해 노력하지 않는다면 5년 정도밖에 살 수가 없다고 한다. 예상했던 데로 이 강아지도 이미 이산화탄소 감염이라고 했다.

우리 부모님들은 이미 항생제를 맞고 외부 돈벌이를 하시는 중이라 문제 되지 않는다는데,

나는 12살이 되어야 항생제를 투여받을 수 있다고 한다.

부모님은 단단히 결심을 한 듯 나에게 말씀하셨다.

"나정아. 우리 화성으로 가자"

"우리 형편에 지금 당장은 힘들지만 최대한 퇴직금 모아서 이 집도 처분해서 우주탐승권 신청해 볼 거야"

"좋아! 그럼 이 강아지도 같이 가는 거야?"

"그래 같이 가자!"

"이 강아지 이름은 아리야!"

현재 우리 집 IOT는 화성에 같이 갈 수가 없어서 엄마는 이 강아지의 이름을 아리라고 부르자고 하셨다. 아직 내 몸에 열기가 떨어

지지 않아서 인지 뜨거운 눈물이 흘렀다.

그래도 이 눈물은 슬퍼서 흐르는 게 아니다.

아리랑 함께 화성에 가자고 해서 기뻐서 흐르는 거다.

아리가 내 얼굴을 핥았다.

"너랑 같이 가서 좋아! 우리 같이 화성 가자!"

나는 이틀정도의 침대생활을 정리하고 강아지 아리와 함께 면역 파우치를 먹으며 가상세계 운동도 열심히 했다. 나도 아리도 하루가 다르게 건강해지는 것 같았다.

엄마가 우주탑승권 날짜를 14일 뒤 확정되었다고 전해주었다.

내가 이산화탄소감염된 사유가 혜택으로 적용돼서 우리 집 쉴드 처분을 빠르게 할 수 있었다고 했다. 지구에서 살아가는 14일은 내 인생에서 기억될 하루하루를 보냈다.

수업도 열심히 듣고 화성에서 사용할 수 있을지 모르겠지만 버그 퇴치 기술도 연마하고, 또 헤어져야 하는 IOT 아리를 하루종일 쳐다보며 내 눈에 기억하고자 했다.

우주선을 타는 날 우리 가족은 최소한의 물건만 챙기고 비장하게 각자의 쉴드와 헬멧을 썼다.

엄마는 우주선이 비행기와 거의 흡사하다며 별거 아니라는 듯 긴장하지 말라고 나를 다독였다.

내가 보기엔 엄마가 가장 긴장한 듯 보였지만, 우리 가족들은 새로운 출발을 위해 서로 따뜻하게 격려해 주며 서로를 응원해 주었다.

우주선을 타고 화성까지는 5시간 정도 걸렸고 강아지 아리는 멀미가 나는지 내 좌석 아래에 바짝 엎드려 입마개를 한 코를 힘없이 자신의 몸 쪽으로 당겨 웅크리고 있었다.

우리 가족은 화성 K-115 구역에서 거주하기로 배정되었고 서로의 언어가 통하는 구역으로 배정되어서 지구에서 다른 언어를 사용하던 사람들과 불편하게 생활할 필요가 없다고 했다.

배정받은 구역에 도착했는데 영상에서만 보던 바게트빵과 토마토가 있었다.

와.. 파우치가 아닌 생 음식을 먹어보다니.. 신기한 모습이었다.

바게트와 토마토를 먹어본 엄마, 아빠는 어렸을 때 먹어보던 생 음식이라며 감격스러워했다.

난 내 인생에서 씹어서 먹어본다는 걸 처음 경험했는데 너무 환상적이었다.

내가 살아있다는 느낌이 막 솟구쳤다고 해야 하나..

지구인들의 이주공간으로 핫 해진 화성은 쉴드와 헬멧을 똑같이 착용하지만 지구와 다르게 외부활동도 마음껏 가능했고 지구처럼 기후변화가 이뤄지지 않도록 철저한 벌점제도가 강력했다. 우리를 거주지역으로 이동시켜 준 매니저 릴리는 화성에서의 생활에서 지켜야 할 것들을 알려주고 벌점 88점 이상 획득하면 우리 가족은 화성에서 방출된다고 친절하게 설명해 주었다. 지켜야 할 수칙은 총 128가지 정도였는데, 일회물품을 쓰거나 버렸을 경우와 실내 온도 유지 등 화성이 지구처럼 되지 않기 위한 방안들로 가득했다.

릴리는 엄마, 아빠에게 일자리 알선부터 아리에게 필요한 물품부터 사료까지 구매방법을 알려주었다. 이산화탄소중독에 걸린 나와 아리가 병행해야 할 생활 수칙도 나는 귀 기울여 들었고, 나는 앞으로 건강해지고 행복해질 거란 믿음에 벅차올랐다.

우리 가족의 새로운 터전 화성에 지금 아리와 나는 발을 내디뎌 본다.

한발 한발 꾹 눌러서 나의 체중을 온전히 실어보았다.

화성의 땅은 희망의 색 푸른빛이었다.

별스러운 이야기

발행 2024년 5월 10일
지은이 곽영도, 케마, 아이린, 김나연, 우소현, 김나리
라이팅리더 김세실
디자인 전혜민
펴낸이 정원우
펴낸곳 글ego
출판등록 2019.06.21 (제2019-000227호)
주소 서울특별시 강남구 강남대로 118길 24 3층
이메일 writing4ego@gmail.com
홈페이지 http://egowriting.com
인스타그램 @egowriting

ISBN 979-11-6666-478-6